SCÈNES DE VOYAGES

***

L'AFRIQUE
AUSTRALE

***

AVENTURES DE DEUX MARINS

PAR E. PARMENTIN.

LIMOGES
EUGÈNE ARDANT ET Cᵢₑ, ÉDITEURS.

AVANT-PROPOS

Un steamer faisant le service régulier entre la France et l'Angleterre se préparait à quitter Calais par une matinée brumeuse de novembre.

Le pont du navire, encombré de malles, de paquets et de colis de toutes espèces, présentait un aspect de pêle-mêle et de confusion indescriptibles.

Comme il arrive toujours en pareil cas, chaque passager veillait à l'arrimage de ses bagages, que les matelots, toujours sans gêne, chaviraient de çà, de là, sans prendre garde aux cris et aux observations qui leur arrivaient dans cinq ou six idiomes différents.

En outre, les parents et amis des voyageurs, accompagnant ces derniers, ajoutaient encore à la confusion; l'on s'embrassait, l'on riait, l'on se serrait les mains, l'on se disait adieu pour la centième fois, l'on allait même jusqu'à pleurer.

Les hommes de peine, qui transportaient les colis, traversaient avec difficulté cette foule, qui se garait tout au plus des amarres que l'équipage élinguait pour être prêt à les larguer d'aplomb au moment du départ.

Parmi tous ces Anglais, ces Français, ces Américains, ces Russes, l'on remarquait tout de suite deux hommes qui se trouvaient à l'écart sur l'arrière du navire.

L'un d'eux se promenait de long en large en fumant nonchalamment un régalia qu'il froissait du bout de ses doigts; il regardait au-dessous de lui toute cette foule qui s'agitait, et un sourire demi-railleur plissait le coin de sa lèvre.

Rien que ce sourire écrivait sa nationalité sur son visage. Vingt-cinq ans d'âge, figure expressive, moustache noire et fine complaisamment relevée aux angles des lèvres, tournure décidée, tout cela vous faisait dire : Français...

L'autre personnage était le contraste frappant du premier.

Accoudé sur le bastingage, il ne donnait pas le plus petit signe d'impatience, et la tranquillité la plus parfaite se lisait sur son visage encadré de favoris d'un blond douteux, et dans ses yeux bleus où ne perçait aucun éclat de contrariété.

Enveloppé dans son grand manteau gris sur lequel était passée en sautoir une valise de voyage, il regardait attentivement l'empressement que mettaient les voyageurs attardés à regagner le steamer.

On reconnaissait facilement l'habitant de la « perfide » Albion (comme l'on dit pour dire quelque chose).

Quant à son âge, il semblait avoir une trentaine d'années, autant qu'en eût pu juger un physionomiste exercé.

Chez les Anglais, cette question d'âge est difficile à résoudre à première vue; mais cette fois, l'hypothèse pouvait passer pour être exacte.

Il se retourna soudain, et, apercevant son compagnon, il tira de sa poche un étui de maroquin rouge où il prit un cigare, et s'approcha à pas comptés du second promeneur, qui s'arrêta en le voyant venir à lui.

— Monsieur, fit l'Anglais en un français très-pur, quoique légèrement empreint d'un petit accent britannique, j'ai égaré ici mon porte-allumettes; voulez-vous me permettre d'allumer mon cigare au vôtre?

— Avec plaisir, Monsieur, répondit poliment

le Français en lui présentant son cigare allumé.

L'Anglais remercia, et se mit à lancer régulièrement d'énormes bouffées de fumée tout en regardant le capitaine, qui venait de monter sur la passerelle et intimait, à tous ceux qui ne prenaient point passage sur le steamer, l'ordre de regagner le quai.

Cinq minutes après, il ne restait sur le pont que les matelots et les passagers, les premiers « trimant » d'un bord et de l'autre ; les derniers, cherchant à se caser le plus confortablement possible pour la durée du voyage.

On enleva les passerelles qui reliaient le navire à la terre, le steamer fit retentir son sifflet aigu, les amarres furent larguées, et le bruit sourd de la machine remplaça le tumulte des instants précédents.

Une bonne brise de sud-est venait de se lever et donnait l'espoir de franchir promptement le Pas-de-Calais.

Le capitaine, en marin qui sait profiter de tout, cria l'ordre d'établir la voile de misaine pour faciliter la marche du navire.

En ce moment, l'Anglais se tenait debout près des bastingages de babord, toujours très-peu élevés sur les navires qui ne font pas de longues traversées.

Lorsque les deux matelots qui hissaient la

toile l'eurent établie, l'un d'eux se retira et laissa à son compagnon le soin de la border. Celui-ci amarra trop mollement son écoute, et la toile, que le vent emportait de l'autre côté, s'échappa avec force.

— Gare!..... cria le matelot en se baissant et apercevant le bas du corps de l'Anglais qui se trouvait derrière.

Mais avant qu'il ait eu le temps de se retirer, le guy de la voile le frappa à la poitrine et le renversant sur le bastingage, le précipita à la mer.

On sortait de Calais.

— Un homme à la mer!..... cria le matelot cause première de l'accident.

— Stop!... commanda le capitaine au mécanicien.

Aussitôt matelots, passagers, passagères se précipitaient aux babords, se penchant afin d'apercevoir le malheureux.

Ce dernier revint sur l'eau presque aussitôt et commença à nager avec vigueur; le courant, très-violent dans le détroit, et des herbes marines qui s'attachaient à ses membres paralysaient ses mouvements.

Pendant ce temps le capitaine faisait en toute hâte mettre un canot à la mer.

Chacun, haletant, attendait avec impatience

le dénouement de ce drame, de cette lutte terrible de l'homme contre l'élément

Soudain un bruit sourd se fit entendre, un tourbillon d'écume s'éleva à deux mètres du steamer, et une tête d'homme apparut ruisselante à la surface de l'eau.

C'était le Français dont nous avons déjà parlé, qui venait de se jeter à la mer, et qui nageait vigoureusement vers l'Anglais, dont les forces commençaient à s'épuiser.

Un espace d'une cinquantaine de mètres les séparait tous deux. On avait bien fait stoper la machine aussitôt l'accident, mais le steamer emporté par son air, et poussé en avant par sa voile, qu'on s'efforçait en vain de serrer, avançait toujours et agrandissait la distance.

Lorsqu'on vit le courageux sauveteur saisir d'une main le bras du naufragé et nager de l'autre vers le staemer, des hurras et des bravos enthousiastes éclatèrent de toutes parts.

On s'empressa de leur jeter des amarres, et peu après ils remontaient tous deux sur le pont du navire, où on les entoura.

— Monsieur, dit l'Anglais après avoir considéré un moment son sauveur, je vous remercie, et je le ferai encore lorsque je me trouverai dans un état plus convenable.

Le jeune homme s'inclina.

— Point n'est besoin, Monsieur, répondit-il. J'eusse été bien aise que vous agissiez de même pour moi si pareil accident m'était survenu ; c'est une chose fort naturelle.

— C'est égal ! murmura l'Anglais en se dirigeant vers une cabine que l'on avait mise à sa disposition.

Notre Français réussit à se soustraire à l'ovation chaleureuse qu'on lui faisait, et s'en fut à son tour échanger ses vêtements imbibés d'eau de mer contre d'autres chauds et secs.

Puis il revint sur le pont, et alla s'asseoir tout-à-fait à l'arrière, là où l'on pouvait jouir à son aise du plus splendide coup d'œil.

Le soleil se levait étincelant derrière le rideau de brume qu'il dispersait de plus en plus à mesure qu'il dépassait l'horizon ; il éclairait de ses premiers rayons rougeâtres du matin.

Ce jour-là, pas de grosses lames couronnées d'écume ; seule une gracieuse petite houle qui miroitait aux rayons obliques du soleil.

L'Anglais sortit de sa cabine, se dirigea à l'arrière, et vint s'asseoir à côté du jeune homme.

— Monsieur, lui dit-il avec un sourire plein de gratitude, je ne sais comment vous exprimer toute ma reconnaissance. Sans vous j'étais un homme perdu !..... Merci, encore une fois merci! Et, ce disant, il lui tendit les deux mains, que son interlocuteur prit et serra vigoureusement dans les siennes.

— Les hommes ne doivent-ils pas tous se secourir mutuellement? répondit-il avec un sourire qui valait certes celui de l'Anglais.

— Cela n'est pas toujours, repartit ce dernier.

— Non, pas toujours, répéta le jeune homme.

Il y eut un moment de silence, comme si cette parole avait jeté de la glace entre eux.

L'Anglais le rompit.

— Monsieur, reprit-il, ne serait-ce pas trop d'indiscrétion que de chercher à savoir le nom de mon sauveur?.....

— Nullement, Monsieur, répondit le jeune homme, en se levant et en saluant son interlocuteur. Je me nomme Georges de Morté..... Et puis-je savoir à mon tour?.....

— En Angleterre, l'on me nomme sir Edward Wilson, interrompit subitement l'Anglais.

Ils échangèrent un nouveau salut et se rassirent.

— Je suis charmé de reconnaître, fit sir Wilson, comme nous l'appellerons désormais, qu'on ne pouvait se noyer en meilleure compagnie. Et vous venez visiter notre vieille Angleterre, monsieur de Morté?

— Oui, milord, répondit mélancoliquement

le jeune homme. Je passe en Angleterre pour tâcher d'échapper au chagrin qui me possédait en France.

L'Anglais le considéra un instant, et un sourire doux et railleur vint courir sur ses lèvres.

— Nous sommes tous deux bien jeunes pour connaître le chagrin, mais c'est égal, je vous crois. Moi aussi, ajouta-t-il, je voyage beaucoup toujours pour la distraction de l'esprit.

Ce fut au tour du vicomte de sourire.

— Je vois, continua l'Anglais, vous pensez à notre légendaire spleen britannique ; rassurez-vous, je n'en suis pas atteint ; si je voyage, c'est qu'aucun lien de famille ne me rattache en quelque endroit que ce soit.

— Comme moi, fit le jeune homme.

— Je n'ai ni père, ni mère, ni sœurs, ni frères, reprit l'Anglais.

— Ni moi, ajouta le vicomte ; mon père venait de mourir lorsque ma mère le suivit en me donnant le jour.

— Alors, murmura sir Edward en lui tendant la main, nous nous sommes bien rencontrés. Je vous plains, monsieur de Morté, car moi j'ai connu ma mère ; j'ai pu, avant sa mort, baiser souvent les cheveux blancs de mon père.

— Personne ne m'a plaint jusqu'à ce jour, suivant cet axiome si vulgaire et si faux qu'un homme ne peut être malheureux lorsque la fortune lui sourit et qu'il a pour lui la richesse.

— Je vous comprends, l'homme est isolé sans parents et sans amis.

— Des amis, fit monsieur de Morté, combien n'en ai-je pas eu de ces amis qui vous recherchent pendant un jour pour vous délaisser ensuite! Mais je n'ai jamais trouvé celui que j'ai rêvé. Oui, un instant j'ai cru que l'amitié solide et fraternelle pouvait exister entre deux hommes; j'ai cru à un autre soi-même partageant et douleurs et joies, à un compagnon inséparable de l'existence de chaque jour.

Sir Wilson s'était levé, et se promenait de long en large en écoutant le jeune homme. Il semblait absorbé par la préoccupation d'une idée fixe qui venait peut-être d'éclore dans son cerveau.

— Comptez-vous rester longtemps en Angleterre, monsieur de Morté? fit-il en se croisant les bras et se plaçant en face de son interlocuteur.

Tout cela était dit d'un ton assez étrange

— Je ne sais, répondit le vicomte.

— Et où irez-vous lorsque vous en partirez?

— Je ne sais, répondit encore le vicomte.

— Vous venez de parler absolument comme j'aurais fait.

Voulez-vous me permettre de vous proposer un arrangement?

— Proposez.

— Nous avons fait connaissance d'une façon que je goûte fort pour son originalité, reprit sir Wilson; vous me plaisez; voulez-vous m'accepter comme compagnon de voyage, si je ne vous semble pas trop désagréable?

— Désagréable, s'écria le vicomte. J'allais vous le proposer. Nous quittons l'Europe, n'est-ce pas?.....

— Oui, repartit sir Wilson, nous irons chercher une vie plus aventureuse pour faire diversion à vos chagrins..... à nos chagrins. Choisissez dans les cinq parties du monde.

— Choisissez vous-même.

— Je n'ai pas de préférence.

— L'Afrique, répondit le vicomte après avoir réfléchi une minute.

— Le cap de Bonne-Espérance, poursuivit l'Anglais.

— C'est dit.

Au même instant, le vicomte désigna à sir Edward les contours du cap South-Foreland, qui s'accentuaient fortement en noir à l'horizon.

— La vieille Angleterre et le nouveau, fit l'An
glais avec un mélancolique sourire.

— Là-bas, la France et les souvenirs! répondit le vicomte en se retournant et étendant le
bras vers la côte qu'ils avaient quittée le matin même.

L'AFRIQUE AUSTRALE

LE CAP DE BONNE-ESPÉRANCE

I. — Le docteur Jérémias Klauschen.

La colonie du Cap, l'une des trois grandes divisions des possessions anglaises dans l'Afrique australe, appartenait avant 1815 à la Hollande.

Elle commandait autrefois la seule route des Indes et de la Chine, et occupait par là une immense importance en même temps stratégique et commerciale que lui a enlevée notre compatriote M. de Lesseps, par l'entreprise gigantesque du percement de l'isthme de Suez, réunissant maintenant la Méditerranée et la mer Rouge.

. Les possessions anglaises proprement dites comprennent aujourd'hui dans l'Afrique australe trois divisions ; d'abord, la colonie du Cap, dont nous venons de parler.

Elle est située sur l'extrême point sud de l'Afrique. Elle est bornée au sud et à l'ouest par l'océan Atlantique, au nord par le fleuve Orange et le pays des Hottentots, la république du fleuve Orange et la Cafrerie britannique à l'est; l'Océan indien baigne ses côtes

Son territoire, d'une superficie totale de 130,000 kilomètres carrés, est divisé en deux provinces, la province de l'est et la province de l'ouest.

Il est habité par 35,000 habitants, parmi lesquels on retrouve plusieurs races. Un tiers de cette population est formé par des blancs anglais ou hollandais, les deux autres tiers par des Malais, des Cafres et des Hottentots.

La capitale de la colonie est Cap-Town, sur l'Atlantique, premier port de radoub et de ravitaillement (avec Port-Elisabeth sur la baie d'Algoa) et point central du commerce de la colonie, qui consiste en froment, orges, avoines, vins, parmi lesquels il faut citer le vin de Constance, très-renommé dans le monde entier; en coton, indigo, thé et café.

L'élevage des bœufs, des moutons et des chevaux se fait sur un pied considérable ; les laines du Cap disputent la palme à celles de Melbourne en Australie.

En outre, de riches gisements de cuivre, des mines de houille et de fer, forment des ressources qui suffisent et au-delà aux besoins de la colonie.

Les autres ports de la colonie du Cap sont Simons-Town, Mosselbay ou Georges-Town, et le port de Beaufort sur l'océan Indien, au-delà du cap des Aiguilles.

La Cafrerie, qui n'est encore qu'une colonie naissante fondée par les missionnaires, et habitée par des tribus possédant encore l'espoir de recouvrer leur indépendance et n'acceptant qu'à demi le joug britannique, vient d'être réunie à la colonie du Cap. Son commerce s'est centralisé dans la ville d'East-London, qui promet un brillant avenir.

Le Natal, la troisième division des colonies anglaises, est bornée au sud par la Cafrerie britannique, au nord par la Cafrerie propre, à l'ouest par le Transwakal et la république d'Orange, et à l'est par l'océan Indien.

La position de son chef-lieu, Port-Natal, lui assure à l'extérieur un commerce assez étendu.

Nous ne voulons pas retenir plus longtemps le lecteur par des détails qu'il lui sera facile de trouver dans tous les traités de géographie, lesquels détails nous ne posons que comme préliminaire obligé.

Nous ajouterons seulement, pour terminer :

Dans l'Afrique australe, on ne distingue à proprement parler que deux races : d'un coté les *Boërs*, ou colons anglais, hollandais et allemands, de l'autre les Hottentots, peuple pacifique et doux, et les belliqueuses tribus des Cafres, qui sont presque toujours en guerre avec les Boërs, lorsque ces derniers, soit pour une raison, soit pour une autre, veulent empiéter sur leurs territoires.

.   .   .   .

.   .   .   .

Il était midi, un jour de décembre 18**.

Quoique l'on fût dans la saison des pluies, qui commence à la fin d'octobre pour se terminer en avril, un beau soleil radieux éparpillait ses rayons sur les terrasses des maisons de la ville du Cap, pittoresquement groupées au pied de la montagne de la Table.

Un steamer venait de jeter l'ancre au pied de 'a ville et se disposait à mettre ses embarcations à la mer pour débarquer ses passagers.

Parmi les Européens et les hommes de couleur qui étaient venus sur le port pour le voir arriver, se trouvait un petit homme aux allures étranges, qui se promenait sur une des jetées.

Il était enveloppé, malgré la chaleur, dans

une redingote verte qui lui descendait aux mollets, et sa tête était couverte d'un large chapeau de paille.

Ce n'était pas un vieil homme, mais il eût été difficile de préciser son âge. Sa figure intelligente et expressive était encadrée par de courts favoris ni bruns ni roux, et la vivacité de son regard s'éteignait derrière les verres bleuâtres d'une paire de lunettes.

Tout en fumant une grande pipe de bois noir, il regardait les passagers du steamer s'entasser dans les embarcations encombrées de bagages.

D'autres canots venus du rivage rangeaient le steamer, et offraient leurs services aux plus pressés.

Deux hommes qui se trouvaient sur le pont du navire firent signe à deux de ces bateliers, firent embarquer leurs bagages et se dirigèrent vers la cale près de laquelle se trouvait le singulier personnage dont on a parlé ci-dessus.

Celui-ci tressaillit singulièrement, lorsque, le canot s'étant rapproché, il put distinguer le visage des nouveaux arrivants ; il fronça deux ou trois fois les sourcils d'un air de doute, et un petit sourire d'incrédulité se fit jour à travers ses lèvres serrées.

La mer était basse et la cale assez haute. Le débarquement semblait difficile pour tout autre qu'un marin, et l'un des deux hommes qui montaient le canot éprouva effectivement quelque difficulté à sauter à terre.

Le personnage à lunettes bleues s'avança sur le bord de la cale, et lui tendit la main pour l'aider à prendre pied, tout en le regardant attentivement.

Une fois à terre, l'étranger remercia et se retourna aussitôt, étonné de ce que l'auteur de cette complaisance tînt toujours sa main dans la sienne.

— Monsieur..... commença-t-il.....

— J'ai donc bien changé, Wilson, que tu ne me reconnais plus, interrompit le petit homme avec un comique douloureux.

Son interlocuteur le considéra une minute et lui tendit l'autre main.

— Jérémias! s'écria-t-il avec stupéfaction, est-ce bien toi que je retrouve ici à 5,000 lieues de l'Europe!

— C'est bien moi, murmura le petit homme sur le même ton.

Et il se jeta dans les bras de Wilson, que nous avons déjà reconnu.

Pendant ce temps le compagnon de ce dernier avait sauté à terre, fait débarquer les bagages, et se tenait à quelques pas, assez embarrassé de cette scène de reconnaissance.

— Mais, s'écria aussitôt le petit homme, tu avais un compagnon, ce m'a semblé, Wilson?

— Je vais vous présenter, répondit l'Anglais.

Puis se dirigeant vers son compagnon avec Jérémias, il poussa celui-ci en avant.

— Mon cher vicomte, fit-il, permettez-moi de vous présenter le docteur Jérémias Klauschen, un de mes bons et vieux amis d'université, et de réclamer en sa faveur une part de l'amitié que vous avez pour moi.

— Monsieur, repartit poliment le vicomte en s'adressant au docteur, je considère votre rencontre comme un heureux présage pour notre avenir.

— Maintenant, docteur, continua Wilson, je te présente monsieur le vicomte de Morté, un très-agréable compagnon, avec lequel j'ai fait connaissance d'une façon fort originale..... Je te conterai cela.

— Monsieur, fit le docteur à de Morté, il n'y a guère que cet original de Wilson qui fasse les choses avec autant de symétrie, lorsque l'on se rencontre si loin du pays commun.

— Je crois qu'il n'en était aucun besoin entre nous.

Et, ce disant, il lui tendit la main.

— Wilson, continua-t-il, je te demanderai des explications plus tard; où sont les bagages?

— Là, répondit l'Anglais en désignant une douzaine de malles entassées sur le quai.

— Tu es un homme à précaution, fit Jérémias avec son petit sourire railleur, qui montrait deux rangées de dents blanches et petites.

Puis il appela plusieurs nègres et leur fit charger tout cela sur les épaules.

— Où allons-nous? dit Wilson.

— Ceci me regarde, répondit Jérémias, nous allons chez moi.

— Oh! oh! murmura sir Wilson en jetant un coup d'œil de travers à la redingote râpée du docteur, mon ami serait-il millionnaire..... et avare?..... C'est égal! ajouta-t-il en matière de conclusion.

C'était ce qu'il disait lorsqu'il ne trouvait plus ou ne voulait plus dire autre chose.

II. — La Maison du Docteur.

Les rues de la ville du Cap sont assez larges et conduisent toutes à la grève; mais elles ne possèdent plus aujourd'hui leur principal ornement, que la civilisation anglaise a retranché par le manque d'entretien.

Avant 1815, les Hollandais, qui étaient alors maîtres de la colonie du Cap, avaient, prétend-on, embelli toutes les rues de la ville de deux rangées d'arbres. Aujourd'hui l'on n'en retrouve que quelques-uns par-ci par-là, le commerce occupant trop les Anglais pour qu'ils songent à en planter d'autres, ce qu'ils considèreraient du reste comme une amélioration entièrement superflue.

On ne retrouve plus aucuns vestiges des habitations primitives de la ville; le « confortable » a passé par là, et a bâti toutes les maisons à l'européenne.

Les maisons n'ont point de toitures, comme on le remarque en Europe. Cinq ou six fenêtres sont généralement percées dans la façade.

Elles n'ont toutes ou à peu près qu'un seul étage, que surplombe une terrasse dallée servant de couverture.

Les appartements y sont élevés et spacieux; mais, pendant la saison des pluies, l'humidité qui vient de la terrasse s'infiltre dans les murailles et n'en fait pas un séjour précisément enchanteur.

Ce genre de couverture, très-gracieux du reste, disparaîtra sans doute bientôt pour faire place à une installation plus commode.

Nos amis remontèrent une des rues perpendiculaires à la grève, et atteignirent une place assez spacieuse sur laquelle s'élevait un monu-

ment très-long, sans largeur, ne visant aucune-
ment à l'élégance, et se composant uniquement
d'un rez-de-chaussée.

— Jérémias, demanda Wilson, comment nom-
mes-tu cette place, et quel est ce bâtiment?

— La place d'Armes et la Bourse, répondit le
docteur.

Sir Wilson et le vicomte échangèrent un regard assez étonné du peu d'apparence qu'offrait l'édifice, et en firent la remarque à leur
guide.

— Mon cher, répondit Jérémias à Wilson, tu
te crois toujours en Angleterre. A 5,000 lieues
de l'Europe, tu ne peux pas songer, j'imagine, à
retrouver le luxe auquel là-bas seulement tu
pouvais prétendre.

— C'est égal!..... fit l'Anglais.

Nos amis continuèrent leur route, guidés par
le docteur, qui, tout en marchant, s'entretenait
avec Wilson de ce joyeux temps de la jeunesse
dont on aime tant à se souvenir, lorsqu'on se
retrouve après quinze ans d'absence et à une
distance telle de la patrie commune.

— Tenez, vicomte, disait Wilson, je n'ai jamais
passé plus heureux moments qu'à l'université
de Cambridge, où je me suis trouvé avec ce cher
docteur. Nous étions inséparables, on ne voyait
guère l'un sans l'autre, n'est-ce point vrai?

— Si fait, répondit le docteur en souriant, on ne trouvait pas deux amis comme nous. Mais, poursuivit-il avec une emphase railleuse, l'amitié, pour qui sait la pratiquer.....

— Ne raillez pas, docteur, interrompit le vicomte, je l'ai cherchée dix ans avant de la trouver chez Wilson.

— Vous ne pouviez mieux trouver, répliqua le docteur.

Tout en discourant de la sorte, ils étaient arrivés à une petite maison blanche devant laquelle étaient déjà arrêtés les noirs porteurs des bagages.

Le docteur laissa retomber deux fois le marteau de fer encastré dans la porte, et dit à ses compagnons :

— Voici l'indigne et la pauvre demeure dans laquelle vous voudrez bien accepter l'hospitalité d'un ami.

Un vieillard vint ouvrir et salua les étrangers en les apercevant.

Wilson tira Jérémias par la manche.

— Mais, docteur, murmura-t-il, n'est-ce pas le brave Williams, qui venait te chercher les jours de sortie, et avec lequel nous avons fait de si belles promenades ?

— Tu as la mémoire fidèle, répondit Jérémias.

c'est en effet Williams, qui n'a pas voulu abandonner ton serviteur et l'a suivi jusqu'ici.

Wilson alla au domestique et se fit reconnaître.

— Ne vous souvenez-vous plus, lui dit-il, de
ce petit tapageur de Wilson, que vous veniez
chercher il y a dans les quinze ans?

— Oh! pardon, Votre Honneur, répliqua Williams en se découvrant respectueusement,
votre figure ne m'était pas inconnue; mais l'enfant s'est fait homme, Votre Honneur.

— Oui, il y a longtemps de cela, soupira
Wilson.

Et il tendit affectueusement les deux mains au
vieux domestique, qui, tout confus de cet honneur, osa à peine les presser avec respect.

Wilson, guidé par lui, rejoignit le vicomte et
le docteur dans un charmant petit salon tendu
de vert, meublé à l'européenne, et où se trouvaient entassées avec un goût parfait toutes les
merveilles et les curiosités du pays. Armes,
fleurs, coquillages, potiches, tout y avait sa
place. Les deux fenêtres du salon s'ouvraient
sur un balcon de bois d'où l'on découvrait la
mer et les hauteurs qui le bordaient de l'autre
côté de la ville.

C'était un petit séjour délicieux.

Après avoir réconforté ses amis par un bon

déjeuner, le docteur fit porter des fauteuils de paille sur le balcon, et bientôt ils y furent tous trois confortablement installés.

— Maintenant, fit le docteur, nous devons avoir bien des choses à nous dire; qui de vous, Messieurs, réclame l'honneur de commencer?

Et le malin docteur appuya railleusement sur le mot « honneur. »

— Nous te le cédons de grand cœur, répliqua Wilson sur le même ton.

— Je te remercie, fit Jérémias en relevant un peu ses lunettes bleues. D'abord, je prie monsieur de Morté de vouloir bien m'excuser de ne pas commencer par lui.

Le vicomte s'inclina.

— A toi, Wilson. Quelle est la raison bonne ou mauvaise qui t'a poussé à venir si loin courir les aventures?

—L'ennui, répondit catégoriquement Wilson.

— Nous ne sommes pas Anglais pour rien, dit Jérémias; et vous, Monsieur?

— L'ennui et..... le malheur.

— Le malheur!..... je vous plains d'avoir cette raison à donner; mais enfin vous en avez deux, dont une plausible, pendant que je ne puis admettre la seule et unique de mon ami Wilson

— Comment! Jérémias, tu ne peux admettre!

Ah! on voit bien que tu ne l'as jamais éprouvé, ce fléau-là!

— Non, fit le docteur, Je n'ai en effet jamais connu l'ennui, et à mon avis un homme ne doit pas s'en plaindre; s'il en souffre, c'est qu'il le veut bien. Depuis dix ans, je vis toujours seul, Messieurs, et je ne puis pas dire m'être ennuyé une seule minute.

Auparavant, permettez-moi de vous introduire dans mon cabinet de travail, vous jugerez ensuite.

Jérémias se levant, rentra dans le salon et poussant une porte attenante, il fit passer ses deux amis dans une petite pièce qu'il appelait son cabinet de travail.

A côté d'une charmante bibliothèque de chêne noirci dont les étagères étaient chargées de livres rangés avec un goût parfait, se trouvaient plusieurs vitrines qui recouvraient une splendide collection d'insectes symétriquement piqués sur leurs cartons.

Des cartes géographiques tendaient le reste de l'appartement, au milieu duquel se trouvait une table ovale qui supportait un herbier gigantesque, des manuscrits et des dictionnaires de toutes sortes.

— Voilà, fit Jérémias, la plus grande de mes distractions.

— Mais, observa Wilson, il me semble qu'il était parfaitement inutile de venir au Cap pour cela, tu l'eusses aussi bien goûtée en Angleterre et en Allemagne, cette distraction que tu nous vantes.

— Non, répondit le docteur, je connais trop ces deux pays, et j'ai voulu avoir devant moi le nouveau.

Ici je lis, j'étudie, j'observe et je retiens, et chaque jour m'apprend ce dont quelquefois je ne me doutais guère la veille. L'étude, Messieurs, forme le jugement à tout âge. A l'enfant elle donne le pouvoir de devenir un homme ; à l'homme mûr, d'avancer plus avant dans la voie de la science et d'être utile à sa patrie ; au vieillard, la faculté de juger avec précision les actes de ses descendants. Dans l'étude, on trouve un refuge contre l'ennui, la douleur, et l'ingratitude de l'homme. Ces poudreux bouquins, que vous regardez si dédaigneusement, forment à eux seuls toute mon existence et me fournissent chaque jour les renseignements que ma pauvre intelligence peut leur demander.

— Docteur, fit le vicomte en s'inclinant, vous nous voyez tout confus de notre peu de savoir vis-à-vis de vous, qui possédez l'amour de l'étude et par là même tant de connaissances utiles.

— Bah! reprit Wilson, il est vrai, je m'ennuie avec mes trois cent mille francs de rente, mais je ne songe guère à travailler.

— Wilson, mon ami, tu dis là des enfantillages. Ma fortune est certes loin d'égaler la tienne; mais, crois-tu que douze à quinze mille livres de rente soient suffisantes pour vivre sans rien faire?.....

— Parfaitement, mais.....

— Et crois-tu, poursuivit le docteur en l'interrompant, que tout ce travail que tu vois là étendu me rapporte quelque profit?..... Non..... Si je le voulais, je pourrais faire comme vous et vivre dans un *farniente* complet; je préfère le travail. Tous ces traités de physique, de chimie, de botanique, de zoologie, que sais-je. moi?..... ont été rédigés par moi-même et sont encore corrigés chaque jour. Tout le profit que j'en retire consiste en ma satisfaction intérieure et l'amélioration de mes connaissances, que je voudrais toujours augmenter.

—Il serait à désirer, docteur, que tous les hommes soient animés de ce même esprit qui vous pousse toujours en avant.

Le docteur eut son petit rire habituel.

—Cela ne sera jamais, je vous le dis, sans fatuité et sans avoir l'intention de vous blesser dans votre amour-propre national. J'ai habité la France pendant peu de temps, il est vrai, mais cela me suffit pour considérer l'instruction accordée chez vous aux jeunes gens, qui, soit dit en passant, sont doués d'une intelligence excessive.

Le vicomte s'inclina en guise de remerciement.

— Mais, poursuivit le docteur, le travail chez eux n'est pas sérieux, ils ne pensent qu'à se faire un avenir égoïste, et à obtenir les diplômes qui en sont la clef. Après cela, la plupart délaissent l'étude et ne pensent plus qu'à leurs plaisirs. Il y a cependant et fort heureusement des exceptions, mais je traite ici la généralité. Chez nous, Allemands, la question n'est plus la même, et un bachelier ne dit pas comme vous : « J'ai fini. » Il dit : « Je commence à m'instruire. » On étudie en Allemagne de même qu'en France on s'amuse, ce qui pourrait s'expliquer par l'anomalie des caractères de ces deux nations. On étudie pour devenir instruit et non pas pour atteindre un but proposé et se reposer ensuite. L'homme intelligent commence à travailler dans sa jeunesse et ne se repose que, lorsque vieillard, fatigué par le travail de l'esprit, ses yeux affaiblis et ses sens alourdis ne lui permettent plus de se livrer entier à cette occupation qui a fait la plus grande partie de sa vie.

En France, l'étude est un devoir que l'on s'empresse de terminer au plus vite ; en Allemagne c'est un besoin qui se fait sentir pour ainsi dire dans toutes les classes de la société.

Jérémias s'exprimait avec chaleur, et les deux amis reconnaissaient eux-mêmes la vérité de ses paroles.

— Si j'étais plus jeune, exclama Wilson, je mettrais ton plan à exécution, ami docteur.

— Il n'est jamais trop tard pour commencer.

— J'ai trente ans, insinua Wilson.

— Tu es vieux..... n'est-ce pas ?... interrogea le docteur avec une fine pointe de raillerie dans la voix.

— Affreusement..... il me semble que j'en ai le double, et déjà des cheveux blancs !... L'ennui est l'ouvrier de tout cela.

— Si tu avais voulu, comme je viens de te le dire, combattre cet ennemi par le travail, tu voudrais vivre cent ans, quoique tu ne sois pas fatigué de la vie, j'imagine.

— Non, surtout maintenant que j'ai retrouvé en toi tous mes bons souvenirs de jeunesse.

Le docteur répondit en lui serrant la main.

La conversation continua et roula sur l'Afrique, ses productions, son climat, les espérances de la colonie du Cap, et les curiosités qu'elle pouvait offrir aux étrangers.

— Ici même, dit alors le docteur, nous avons peu de chose, et vous ne trouverez rien de bien curieux. La vie y est parfaitement européenne. Ce que je puis cependant vous promettre, c'est l'ascension de la montagne de la Table, d'où l'on jouit du plus magnifique coup d'œil qu'il soit possible d'imaginer. Nous y irons dès demain, si vous le désirez.

— Soit, répondirent les deux amis.

III. — La Montagne de la Table.

Le lendemain, de grand matin, Jérémias Klauschen, toujours vêtu de sa grande redingote et coiffé d'un immense chapeau de paille, entrait dans la chambre de Wilson.

Ce dernier, qui depuis longtemps n'avait pu goûter le plaisir de coucher dans un bon lit, dormait à poings fermés et laissait supposer au docteur qu'il aurait peut-être grand'peine à le faire mettre debout. Après quelques appels restés sans réponse, Jérémias se décida à employer des avertissements plus énergiques et se mit en devoir de secouer vigoureusement le dormeur.

Wilson étendit les bras et bâilla démesurément en regardant son ami d'un œil que le sommeil alourdissait encore.

— Quoi!... fit-il avec un effroi comique, Jérémias!... déjà debout!... qu'as-tu donc à faire si matin?

En effet, la première clarté de l'aube matinale commençait à peine à blanchir les rideaux de la chambre.

— Ne vous avais-je pas promis hier à tous deux une promenade sur la montagne? répondit simplement Jérémias sur un ton d'interrogation.

— C'est vrai, s'écria Wilson, mais tu ne nous avais pas dit ton intention de le faire si matin.

— Plus tard, le soleil aurait acquis trop de force pour nous la permettre. Allons, sempiternel dormeur, debout lestement, et en route. Pendant que tu t'habilleras, ton ami sera réveillé et fera de même.

Quelques instants plus tard, les trois amis se trouvaient réunis dans la salle à manger et étaient prêts à partir.

Wilson tirait déjà les verroux de la porte pour sortir, quand Jérémias l'arrêta par le bras.

— Un instant, fit-il; nous allons d'abord faire un semblant de déjeuner.

— Mais..... commença Wilson.

— Il nous restera encore de l'appétit quand

nous reviendrons, interrompit impitoyablement le docteur, et je ne vous laisserai pas partir sans vous avoir prémunis d'avance contre l'action malfaisante des brumes matinales.

Il fallut s'exécuter de bonne grâce, et entamer une volaille froide, sorte de pintade, que Jérémias servit lui-même, et qu'il flanqua d'une bouteille d'un vin généreux.

Comme nos deux amis s'extasiaient sur sa bonté.....

— C'est du Constance, une production du pays, répondit-il à leur question muette.

Après quoi, il leur mit à chacun un bâton ferré à la main et les invita à le suivre.

La maison du docteur se trouvait complètement à la partie est de la ville, qu'il leur fallait traverser pour arriver aux montagnes du Lion et de la Table, qui protègent de leurs cimes toute la baie du cap de Bonne-Espérance.

La brume matinale était massée à l'occident pendant qu'au levant le soleil montrait son disque orangé, et éparpillait sur nos excursionnistes ses rayons échevelés qui ne donnaient encore aucune chaleur.

Quelques petits nuages blancs et effilés couraient dans le ciel bleu, et la brise de mer faisait seule frissonner le vol des albatros qui planaient au-dessus des terrasses de la ville.

Absorbés par la nouveauté du spectacle et la plaisir de cette promenade matinale, aucun de nos amis n'avait encore ouvert la bouche.

— Ça, s'écria le premier Jérémias, préparez-vous Messieurs, à déployer l'agilité que vous pratiquiez jadis au collége, car je ne sais si vous ne serez pas obligés de vous arrêter plus d'une fois avant de toucher au but de notre promenade!...

Wilson lui jeta un regard de travers.....

— Est-ce une injure? demanda-t-il plaisamment.

— Nullement, répondit le docteur sur le même ton, mais ne présume pas trop de tes forces.

Le vicomte se prit à rire.

— Docteur, intervint-il, ne raillez pas notre ami Wilson. Si vous l'aviez entendu parler, pendant la traversée, d'enjamber ravines et montagnes.

Et les trois amis firent chorus.

Quand l'éclat de rire fut calmé :

— Nous allons le voir à l'œuvre, dit Jérémias, car nous arrivons.

En effet, ils se trouvaient au pied de la montagne, qui étalait au-dessus de leurs tête ses flancs et son plateau noirâtres par endroits, verts en d'autres, et dorés légèrement par les premiers rayons du soleil.

Jérémias s'arrêta comme pour se préparer à l'ascension et regarda malignement ses deux compagnons.

— Forwarts !... s'écria-t-il en posant la pointe de son bâton ferré sur la première pente de la montagne.

— Come on !... fit Wilson

— En avant !... poursuivit le vicomte.

A ces trois cris proférés en trois langues, ils commencèrent à gravir la pente assez rapide qui s'élevait en gradins au-dessus d'eux.

La hauteur était assez considérable — douze cents mètres — et le soleil, qui commençait à prendre de la force, les gênait horriblement en leur frappant sur le visage.

Seul le docteur semblait infatigable. Abrité par son grand chapeau de paille, le bâton à la main, il s'avançait toujours le premier, guidant les deux amis, et leur indiquant à chaque minute les passages les plus praticables dans le sentier qui s'ouvrait sous leurs pas.

De temps à autre, il se détournait pour jeter un coup d'œil à Wilson, dont le visage ruisselait de sueur, et un petit sourire moqueur lui venait sur les lèvres.

Il avait une très-drôle de physionomie, le docteur Jérémias, avec son visage toujours souriant, et ses lunettes bleues qui dérobaient

ses yeux et ne laissaient jamais deviner à l'ob-
servateur ce qu'ils pouvaient bien exprimer.

En France et bien ailleurs, il y a des gens
dont les yeux reflètent trop bien la pensée
qui se servent de lunettes à verres de couleur
sombre pour cacher à leur aise contentement
ou mécontentement, plaisir ou déplaisir.

Mais ce n'était point là le motif de Jérémias;
le docteur s'en faisait tranquillement un auxiliaire pour se défendre du soleil.

A mesure qu'ils avançaient, l'ascension devenait plus pénible, la chaleur plus accablante.
Parvenus à une hauteur d'environ 600 mètres,
c'est-à-dire la moitié de la distance à parcourir,
Jérémias, qui ne semblait ressentir aucune
fatigue, jeta un regard de commisération à ses
amis essoufflés.

— Allons, Messieurs, fit-il, pas de fausse
honte, avouez et déclarez-vous las.....

— Je me rends à discrétion, répondit le
vicomte.

— Pas moi! fit Wilson, je ne suis pas fatigué
et je gagerais, ami docteur, que monsieur de
Morté ne s'avoue vaincu que pour te donner
raison contre nous de ta vanité de tout à
l'heure.

— Soit, répliqua Jérémais, continue l'ascension Monsieur et moi, qui ne sommes pas infa-

tigables, nous allons nous reposer quelques minutes.

Et ce disant, le docteur s'assit sur un quartier de roche aux côtés du vicomte.

Wilson les considéra un instant en s'essuyant le front avec son mouchoir.

— C'est égal! je ne vous quitte pas, hasarda-t-il en s'asseyant à son tour.

Et de là un nouvel éclat de rire qui rendit Wilson un peu confus.

Cinq minutes après, ils reprirent leur marche et cette fois ne se reposèrent que lorsqu'ils furent arrivés sur le plateau qui couronne la montagne.

Ils s'assirent encore sur la roche et contemplèrent de là le splendide spectacle qui s'étendait devant eux.

A leurs pieds, la ville du Cap apparaissait encore noyée dans le manteau des brumes matinales, ses blanches terrasses se dessinaient, régulièrement coupées par l'alignement des rues; la grève de False-Bay, puis toute la côte est de l'Afrique, frangée partout sur ses bords d'une écume argentée que laissaient après elles les vagues brisées sur ces rochers géants qu'elles étreignaient sans cesse de leurs baisers humides.

Puis, au large, l'horizon, l'infini devant soi,

champ vaste où pouvait rêver l'imagination, lorsque le regard ne pouvait s'étendre qu'à la ligne noirâtre qui seule séparait le ciel de la mer.

Comment ne pas se sentir petit en face de la nature si grande, si pleine de charmes et qui impressionne si vivement l'esprit le plus sceptique et le plus indifférent?

Aucun de nos amis ne disait mot. Jérémias, quoique ce spectacle ne fût pas nouveau pour lui, se sentait rêveur et n'osait troubler la rêverie des autres; Wilson obéissait à son admiration, et le vicomte, complètement absorbé, ne se croyait plus sur terre, et se demandait intérieurement si tout ce qu'il voyait il ne le contemplait pas du ciel.

Soudain Jérémias laissa échapper une exclamation qui fit tressaillir Wilson et son ami.

— Voyez, fit-il en étendant la main vers l'est, dans la direction du cap des Aiguilles.

Wilson braqua sa longue-vue sur le point indiqué, aperçut une charmante petite goëlette qui s'avançait dans la baie, favorisée par une bonne brise qui donnait dans ses focs et ses huniers.

— C'est un bon petit navire, continua Jérémias, et son capitaine est un marin qui s'y connaît.

Puis il reprit.

— Si vous le voulez bien, nous allons redescendre, maintenant que nous avons vu ce que nous désirions voir, et nous aurons le plaisir d'aller déjeuner avec Maclean, le capitaine de la goëlette *la Sarah*, que vous voyez là.

Les deux amis s'inclinèrent en signe d'assentiment, et l'on recommença à descendre la roche escarpée de la montagne. Il y eut toutefois un peu plus de vitesse et un peu moins de fatigue.

Au contact des rayons du soleil, la brise était plus chaude, et Wilson soupirait tout bas après la fraîcheur si agréable du cabinet du docteur.

Ils arrivèrent sur la grève au moment où *la Sarah* serrait sa toile et laissait arriver pour mouiller à environ deux encâblures du bord.

IV. — A bord de la Sarah.

Le docteur entraîna ses compagnons vers un des canots qui se tenaient le long du quai, les fit embarquer et donna l'ordre aux deux nègres rameurs de se diriger vers la goëlette, qui, la coquette qu'elle était, tournait l'avant vers le large, comme pour mieux recevoir les premiers

baisers de la marée montante. La coque noire
et luisante se détachait nettement du flot bleu,
qu'elle surmontait gracieusement en se soulevant sur le dos de la lame. Le léger balan-
cement que cette dernière lui imprimait se
communiquait à sa mâture à sec de toile et la
faisait incliner tantôt d'un bord tantôt de l'autre,
comme l'on berce un enfant mutin que l'on
veut endormir.

Son arrière, large et bien proportionné, laissait
apercevoir deux petites fenêtres au-dessus des-
quelles on lisait en lettres d'or sur fond blanc
le nom du navire.

Le vicomte avait assez de connaissance des
choses de la mer, et s'extasit sur la beauté, la
finesse de l'étrave de la petite goëlette, en
disant qu'avec une carène semblable sous les
pieds il irait jusqu'au bout du monde.

Wilson, plus flegmatique, ou uniquement plus
contrariant, se contenta de hausser les épaules
avec une indifférence parfaitement jouée, et
Jérémias riait dans sa barbe de la contenance
si dissemblable des deux amis.

Le canot qui les portait accosta le long du
bord, et Jérémias s'aidant d'une échelle de corde,
grimpa le premier sur le pont et tendit la main
à ses compagnons.

— Te souviens-tu, Wilson, rappela-t-il, de

cette même circonstance où tu semblas trouver
tant d'inconvenance de la part d'un inconnu?

Et le brave docteur lui serra la main bien
fort pendant qu'il se hissait sur le pont.

— Que veux-tu! murmura Wilson, il ne faut
pas m'en faire un reproche, car le temps t'a
bien changé.....

— Ah! fit singulièrement le docteur.

— Mais, oui!..... changé comme tout le
monde, s'empressa d'ajouter Wilson, surpris de
l'accent de son ami.

Puis on n'en parla plus.

Jérémias renvoyait le canot, et payait les
rameurs, quand un homme s'avançant par
derrière sans être vu, le fit se retourner en lui
frappant sur l'épaule.

— Bonjour, Jérémias. — Messieurs, je vous
salue, ajouta-t-il en s'inclinant devant les deux
amis.

— Eh bien!... mon cher Maclean, ton voyage
a-t-il été heureux?

— Excellent!... ma petite goëlette ne faisait
que courir sous une brise qui ne nous a pas
quittés d'un seul instant.

— Bravo! s'écria le docteur, voici deux amis
que je t'amène, et nous venons te demander à
déjeuner.

— Ah!... fit Maclean, c'est un fâcheux contretemps ; je suis désolé, Messieurs, de ne pouvoir vous satisfaire, mais il me sera impossible.

— Ce sera partie remise, dit Wilson, et nous vous prions d'agréer quand même nos remerciements.

Maclean s'inclina.

— Je repars vers onze heures pour aller à la baie d'Algoa, et à moins que vous ne vouliez m'accompagner, je serai obligé de me refuser le plaisir.....

— C'est une idée, interrompit Jérémias ; nous t'accompagnerons, Maclean.

— Sans me demander combien de temps durera le voyage?

— Peuh! une quinzaine de jours.

— Oui, c'est cela, à la condition des vents favorables. Alons, c'est dit. Je vais vous donner deux matelots pour *trimballer* ici ce que vous penserez nécessaire, et je fais préparer le déjeuner. Mais ralliez le bord au coup de midi.

— C'est entendu, assura Jérémias ; n'aie pas peur, nous serons exacts.

— Il le faudra, car je compte profiter de la marée descendante pour appareiller.

Maclean fit armer un des canots de la goëlette pour reconduire ses visiteurs, les quatre hommes se serrèrent les mains, Georges et Wil-

son déjà enchantés de leur nouvelle connaissance, et Jérémias satisfait de leur satisfaction.

Rentrés chez ce dernier, ils bouclèrent à la
hâte quelques valises renfermant du linge et
des vêtements de rechange. Jérémias surveilla
lui-même tous ces préparatifs avec sa prudence
ordinaire, et demanda ensuite au vicomte s'il
était chasseur.

— C'est un plaisir que je ne dédaigne pas,
répondit ce dernier.

— Venez alors, dit Jérémias.

Et les conduisant dans son cabinet, il détacha d'une panoplie deux superbes carabines
portant la marque de Devismes; puis il leur en
tendit une à chacun.

— C'est le modeste souvenir d'un ami que je
vous prie d'accepter, en raison de notre vieille
amitié, dit-il à Wilson, et de la prospérité de la
nôtre, mon cher vicomte.

—Soit, fit Georges en s'inclinant, j'accepte
avec plaisir votre magnifique présent, docteur;
mais puisque nous en sommes aux souvenirs,
permettez-moi de vous en offrir un du même
genre.

Et courant à sa chambre, il en rapporta un
revolver à six coups, de fabrique américaine,
qu'il avait acheté à Londres, pendant son séjour
avec Wilson.

— Merci, répondit simplement le docteur.

Et il se prit à considérer l'arme, dont la crosse d'ivoire damasquiné d'argent brillait avec éclat au sortir de son étui de maroquin rouge.

Onze heures et demie sonnaient lorsque Jérémias fit charger les bagages et engagea ses amis à ne pas faire attendre Maclean.

Quarante minutes après, ils prenaient pied sur le pont de *la Sarah*, où le capitaine les attendait impatiemment.

— Allons, allons, Messieurs, fit-il avec politesse, vous êtes en retard, et la brise et la marée ne nous attendront pas.

— Nous en profiterons quand même, répondit Jérémias.

— Je vais vous installer dans vos cabines, si vous voulez bien me suivre, ajouta Maclean.

Il les fit descendre par l'écoutille de l'arrière, et arrivé dans le carré, il ouvrit une porte, qu'il entrebâilla seulement.

— Pardon, fit-il en s'adressant à Georges et à Wilson, mais ces Messieurs seraient peut-être bien aises d'habiter ensemble.

— Certes, Monsieur, répondit le vicomte, j'en serai charmé pour ma part, à moins que cela ne déplaise à Wilson ?.....

— Pas le moins du monde..... Nous ne voulons pas abuser de votre gracieuse hospitalité, capitaine, et il pourrait peut-être vous gêner de nous assigner à chacun une chambre.

— Oh! repartit Maclean d'un air de doute, *la Sarah* est aussi bien emménagée qu'un navire de guerre.

Il rouvrit la porte de la cabine et introduisit nos amis dans une chambre étroite, mais meublée avec une recherche et une propreté excessives.

Deux couchettes superposées solidement appuyées contre le flanc du navire, une petite table de roulis fixée au milieu de la pièce, un canapé également fixe et quelques chaises formaient tout l'ameublement.

Des placards habilement dissimulés par des boiseries de palissandre s'ouvraient en différents endroits dans les cloisons.

La lumière du dehors pénétrait par une élégante vitrine garnie d'un petit treillage de cuivre quel'on pouvait ouvrir ou baisser à volonté

— Si ces Messieurs désirent habiter ensemble, dit Maclean, voici l'appartement que je leur destine ; dans le cas contraire, je trouverai bien à loger tout le monde.

— Nous restons ici, avec votre bon plaisir, répondirent les deux amis.

— Alors je n'ai plus qu'à installer Jérémias et son bagage de savant, fit Maclean en sor riant et en jetant un regard sur deux malles que les matelots descendaient dans le carré.

— Bien mince bagage, soupira Jérémias en le suivant.

— Messieurs, reprit Maclean, je fais lever l'ancre et orienter *la Sarah*, puis nous déjeunerons.

— Entendu.

Et nos amis rentrèrent dans leurs cabines pour mettre en ordre ce qu'ils avaient apporté.

Soudain ils ressentirent une vive secousse. C'était l'ancre de *la Sarah* qui venait de déraper à pic.

— Montons sur le pont, cria Jérémias à travers la porte de la cabine de Georges et de Wilson, nous allons jouir du coup d'œil de la baie.

Au moment où Jérémias sortait de l'escalier de l'écoutille, le capitaine donnait ses ordres pour la marche du navire, frissonnant déjà sous sa toile, qui se gonflait et se plissait à une bonne brise de nord-ouest.

Au loin, devant soi, les maisons blanches de la ville du Cap se profilaient au milieu des arbres qui bordaient les quais et des mâtures des navires à l'ancre ; au-dessus, les masses de la montagne de la Table et des autres chaînes s'estompaient en noir, et semblaient veiller comme des génies protecteurs sur l'ensemble de la ville; tout autour, une longue ceinture d'argent bordait la côte et s'entrouvrait parfois pour montrer le dos noir et poli d'un récif.

Au-dessus de tout cela et comme servant de cadre, le ciel bleu bariolé de quelques petits nuages blancs qui semblaient se jouer dans son immensité, et les oiseaux de mer, qui planaient dans l'espace en déployant majestueusement leurs ailes.

La Sarah ne tarda pas à prendre sa course en bondissant joyeusement sur le dos des petites lames qui la poussaient en avant, et s'éloigna rapidement dans l'est en laissant après elle un large sillon d'écume.

Maclean n'avait pas interrompu la contemplation de nos amis; mais lorsqu'il eut terminé son appareillage et que *la Sarah* fut mise en bonne route, il se rapprocha d'eux et les invita à descendre.

— Vous m'avez fait l'honneur d'accepter à déjeuner, Messieurs, leur dit-il, je ne veux pas vous faire attendre davantage.

Le déjeuner était servi dans une petite salle à manger de bon goût, décorée de panneaux sculptés en bois des Iles, et enrichie de panoplies d'armes natives et européennes.

C'est toujours, à peu de chose près, la même décoration à bord de tous les navires de ce genre.

Tout y était installé comme ameublement de roulis, c'est-à-dire que la table était fixe, et était creusée en certains endroits pour y déposer les plats et les assiettes et les empêcher d'être renversés, lorsque le navire roulait de tribord à babord ou *vice versa*.

Maclean ne trompa pas l'attente de ses hôtes : le déjeuner fut exquis, et déclaré complètement dans la bonne forme européenne.

L'étonnement du vicomte fut à son comble lorsque Maclean se baissa pour prendre à côté de lui, dans un panier, une bouteille d'Aï mousseux dont il fit sauter le bouchon en portant la santé des convives.

— C'est prodigieux ! s'écria-t-il, ne pouvant se contenir plus longtemps. C'est une merveille recélant des merveilles que votre petite goélette, monsieur le capitaine.

Maclean fut assurément flatté dans son amour-propre ; mais il ne le laissa pas trop paraître et répondit avec un fin sourire :

— Il n'y a rien d'étonnant dans ce pauvre petit confortable, Monsieur ; je suis seulement désolé de ne pouvoir mieux vous offrir.

Après déjeuner, l'on passa dans la cabine de

Maclean, qui pouvait servir de salon, lorsque les panneaux dissimulant la couchette étaient poussés.

Là-dessus, Maclean offrit des cigares qu'il donna comme véritables Manille.

— Je me propose, dit-il, de vous montrer un peu la côte de la baie d'Algoa jusqu'au Cap seulement nous ne pourrons voir cela qu'en revenant, car je ne sais pourquoi j'ai hâte d'être arrivé à destination. Je suis maintenant responsable de trois existences de plus, ajouta-t-il en souriant.

— Chimères que tout cela, railla Jérémias; ne nous as-tu pas dit qu'avec ta goëlette sous les pieds tu irais jusqu'au bout du monde?

— Je le veux bien, mais la mer n'est pas toujours facile à commander.

— Surtout aujourd'hui, continua l'imperturbable docteur en soulevant un capot de damas qui recouvrait un dalot, et en montrant par là la mer, dont les petites vagues clapotaient autour du navire.

— Le capitaine a raison, insinua Wilson, la mer est à caprices, et il est toujours prudent de ne jamais trop s'y fier.

— Monsieur Wilson se range à mon avis, fit Macléan, tu es seul du tien, mon pauvre docteur.

Jérémias haussa les épaules.

— Allons, soit, fit-il avec une emphase comique, je veux bien, moi; mettons que la mer a des colères, des fureurs comme tout le monde, et que les hommes.....

— Assez, assez, mon bon ami, interrompit Wilson en riant.

— Messieurs, reprit Maclean pour couper court, maintenant nous allons, si vous le voulez bien, visiter ma petite goëlette depuis les planches de la cale jusqu'à la pomme de sa misaine. Je ne vous ferai grâce de rien.

— Non, repartit Wilson en souriant, contentons-nous de regarder d'en-bas la mâture sans nous y aventurer, je ne me sens pas le pied assez marin pour cela.

— Cela viendrait, Monsieur, répliqua Maclean en considérant du coin de l'œil la taille bien prise de son interlocuteur, avec un peu d'habitude.....

Nous ne commencerons pas ici une description fastidieuse qui a tant de fois été faite, nous nous contenterons de dire qu'à ses qualités de marcheuse, *la Sarah* joignait une intercalation des mieux ordonnées, comme à bord des navires de guerre.

V. — Une Épave.

Le premier jour de mer se passa sans incident ; le soir *la Sarah* passait au large du cap
des Aiguilles, ainsi nommé parce qu'à plus d'un
mille au large cette partie de la côte est couverte de récifs excessivement aigus.

Le second jour, vers les quatre heures du
soir, nos amis étaient assis à l'arrière du navire
et jouissaient de la fraîcheur que leur procurait
la tente tendue au-dessus de leurs têtes. Jérémias s'amusait à esquisser le portrait d'un
magnifique bull-dog appartenant à Maclean,
et qui, assis sur le derrière à quelques pas du
groupe, le contemplait avec une gravité assez
comique.

La mer était un peu plus moutonneuse que
la veille, ce qui n'empêchait pas *la Sarah* de
courir bon bord sous ses huniers, sa grande voile
et un de ses focs.

Tout en causant, Maclean avait la main appuyée sur la barre du gouvernail, et le timonier,
pour ne pas gêner la conversation, était allé
s'allonger sur le gaillard d'avant

— Capitaine, disait le vicomte, c'est une bien
agréable surprise que celle de vous avoir ren-

contré au Cap, et un bien grand plaisir que vous nous procurez.

— Plaisir partagé, Monsieur, car.....

Le capitaine n'acheva pas; il se leva brusquement et se haussa sur le plat-bord du navire. Puis il revint en arrière, s'empara d'une longue-vue déposée sur le panneau du salon, et la braqua du côté de la pleine mer dans une direction parallèle à celle que l'on suivait.

Au bout de quelques minutes d'examen, il rabaissa l'instrument.

— Que voyez-vous donc, capitaine? demanda Wilson.

— Je ne sais, répondit-il en reprenant la longue-vue et en l'armant de nouveau, rien probablement.....

— Ohé! timonier, ajouta-t-il presque aussitôt, tribord un mille au large, que vois-tu?

L'interpellé se releva aussitôt, braqua sa longue-vue et répondit :

— Ça a tout l'air d'être une épave, capitaine.

Jérémias laissa à ce moment tomber son crayon et son papier.

— Quoi donc? qu'y a-t-il?.....

— Là-bas..... dans la direction de ma main, répondit Maclean en lui présentant la longue-vue et étendant le bras. Cela a tout l'air d'être une épave, comme vient de le dire le timonier

— Ou un poisson de forte taille, se hâta de répliquer le docteur, dont le cœur bondissait d'avance comme à l'approche de quelque chose de nouveau et d'inespéré.

— Bah !..... fit Maclean, passons au large.

— Je t'en prie, mon ami, s'écria Jérémias, nous n'en sommes pas loin, allons donc jusque-là pour savoir à quoi nous en tenir.

— Il va falloir changer toute la manœuvre, fit Maclean avec une nuance de contrariété, et nous marchions si bien dans cette aire de vent.

— Qu'importe ? Ce ne sera pas si long !

— Mais seras-tu plus avancé ?

— Qui sait ?

— Allons, soit. Pare à virer en douceur, cria Maclean.

La Sarah tourna lentement sur elle-même ; les voiles, dont les écoutes venaient d'être filées, flottèrent un instant le long des mâts, puis se gonflèrent de nouveau, et *la Sarah*, se penchant gracieusement sur bâbord, s'élança dans la direction du point noir que l'on voyait grandir à mesure que l'on s'avançait.

Nos amis n'étaient pas les seuls à faire des suppositions sur la nature de l'épave ; les matelots s'en mêlaient à leur tour et allaient leur train.

Il n'y avait pas jusqu'à Dick, le chien du bord, qui ne se mît à aboyer en entendant tout ce bruit inaccoutumé.

L'épave, ballottée par la lame, semblait ne pas changer de place, et Jérémias se désespérait de penser que, si c'était bien un poisson comme il le supposait, il ne fallait plus douter qu'il ne fût mort.

Enfin, en avançant toujours, on arriva à avoir nettement dessiné l'objet en vue.

La stupéfaction fut générale.

Cette épave, ce poisson, c'était..... un canot qui semblait abandonné !

L'on put en avoir une certitude lorsque *la Sarah* se trouva à une vingtaine de brasses par son travers.

— Vois-tu, fit Maclean à Jérémias avec assez de mécontentement, tu nous as fait changer de route pour pas grand'chose, et il est temps de virer de bord et de laisser aller ce canot qui ne peut nous servir à rien, car il me semble bien endommagé par la mer.

— Un instant ; exclama Jérémias ! ne vire pas de bord, Maclean, il y a quelqu'un ou quelque chose dans ce canot.

— Tu es fou, répondit Maclean.

— Pas du tout, il y a quelque chose au fond

du canot, je ne puis très-bien distinguer, mais je suis sûr de ce que je dis.

Maclean regarda son ami en face

— Tu rêves tout éveillé; où vois-tu quelqu'un là-dedans?.....

Les matelots eux-mêmes se regardaient entre eux, et commençaient à rire tout bas de l'entêtement du docteur, tout en faisant louvoyer *la Sarah* pour ne pas s'éloigner de la matière à discussion.

— Je te répète, cria le docteur exaspéré, qu'il y a quelqu'un dans ce canot, et ce quelqu'un peut être un cadavre.

— Erreur, répondit Maclean en riant; mais pour te bien faire voir combien tu te trompes, et jusqu'où tu pousses l'illusion, nous allons mettre un canot à la mer et nous assurer par nous-mêmes de ce que tu avances.

En un clin d'œil, un canot glissa par les cordes des palans qui le retenaient aux porte-manteaux, et deux marins saisirent les avirons, prêts à partir. Nos quatre amis y descendirent à leur tour, l'embarcation déborda et s'avança rapidement vers l'épave, qui gardait toujours la même immobilité.

Maclean, debout à l'arrière, semblait vouloir y plonger d'avance un regard triomphant, quand soudain, à quelques brasses, il recula de stupéfaction, et faillit tomber à la mer. Le docteur l'observait du coin de l'œil.

— Tiens, tiens, murmura-t-il.

Puis tout haut :

— Eh bien ! Maclean, ai-je tort ?

— Certes, répondit celui-ci, encore peu remis de son étonnement, il y a un homme dans le fond du canot.

— C'est étrange, murmura Georges.

Une seconde après on accostait par le travers et nos amis se penchèrent curieusement pour examiner l'intérieur. Les marins se portèrent en même temps sur le bord, et cela si brusquement, que le canot, subitement chargé du même côté, s'inclina si fortement qu'il faillit chavirer.

— A vos places, vous autres ! cria Maclean.

Le canot ainsi abandonné contenait un homme ou un cadavre, on ne pouvait encore savoir lequel des deux, vêtu à l'européenne, d'un paletot de chasse jaune, d'une chemise de laine rouge enfermée dans un patalon de cuir, dont de grandes guêtres de même matière recouvraient le bas jusqu'aux genoux. Gisait dans un coin, à côté d'un large chapeau de paille, une gourde vide et à moitié brisée, pendant que plus loin l'on pouvait reconnaître une pelle d'aviron reposant près de son bois rompu.

L'homme avait une figure assez insignifiante,
une barbe rare et jaunâtre encadrait inéga-
lement son visage bronzé, sous le hâle duquel
on devinait la pâleur ; ses yeux fermés semblaient indiquer ou le sommeil ou la mort. La
bouche entr'ouverte laissait voir ses dents
serrées, qui mordaient avec force un bout de
sa moustache.

Après le premier moment de surprise, Maclean
passa dans le canot, souleva le malheureux
dans ses bras, et glissant la main sous sa chemise de flanelle, il interrogea les battements
du cœur.

— Il semble battre encore un peu, dit-il,
transportons-le à bord, s'il est vivant, nous
essaierons de le sauver, et il ne pouvait tomber
entre meilleures mains, puisque nous avons
un excellent docteur, ajouta-t-il en montrant
Jérémias, qui se renferma avec modestie dans
le collet de son habit. S'il est mort, nous lui
devons la sépulture que tout bon chrétien doit
donner à son semblable.

L'on transborda donc l'homme et on laissa
aller le canot, qui ne pouvait être d'aucune
utilité.

Puis on fit force de rames pour regagner la
goëlette, dont les matelots avaient peine à tenir
la manœuvre pour ne pas s'éloigner.

Le ciel commençait à se couvrir, la mer devenait plus forte, une brise chaude passait sur les fronts en y faisant perler quelques gouttes de sueur, et Maclean commençait à interroger l'horizon, qui se noircissait d'une façon inquiétante.

L'on s'empressa de regagner *la Sarah*.

Le docteur ne perdait pas de vue son malade et s'empressa de le faire hisser à bord avec toutes les précautions voulues, et le fit transporter dans sa propre chambre, où il se rendit aussitôt, accompagné de Wilson et du vicomte.

Le docteur le fit allonger sur une des couchettes, et penché au-dessus de lui essaya de lui entr'ouvrir les dents serrées pour y introduire quelques gouttes d'un cordial énergique.

Jérémias réussit à les lui faire avaler, et s'éloigna de quelques pas pour en attendre l'effet.

Au bout de quelques minutes, l'inconnu porta brusquement une de ses mains à sa poitrine, la laissa retomber presque aussitôt, et une écume blanchâtre apparut aux coins de ses lèvres.

— Je..... brû..... le..... murmura-t-il si faiblement, qu'on l'entendit à peine.

Ces mots avaient été dits en portugais.

Sans y prendre garde, Jérémias pria les deux amis de l'aider à le débarrasser de ses vêtements en partie imprégnés d'eau de mer, et à le glisser dans les draps de la couchette qu'un des matelots venait de chauffer, sur l'ordre de Wilson.

Cela fait, l'inconnu parut se trouver mieux, il se remua faiblement.

— J'ai..... faim..... soif..... la soif..... Oh! balbutia-t-il.

— Voilà la maladie trouvée et mise au jour par le malade lui-même, s'écria Jérémias. C'est bien ce que je pensais · cet homme se meurt d'inanition.

Et il courut tout d'une haleine à la cuisine du maître coq, auquel il demanda du bouillon d'extrait de viande, dont Maclean, toujours prévoyant, avait eu soin de munir le bord.

— Ne lui donnez-vous pas à boire? docteur, demanda Georges quand il revint, c'est ce qu'il réclame avec le plus d'instance.

— Tout à l'heure, répondit Jérémias, un doigt de vin de Constance suffit.

L'inconnu avala en deux minutes ce que lui présentait le docteur, but le vin, et redemanda à manger, sans s'enquérir ni de l'endroit où il se trouvait, ni des circonstances qui l'y avaient amené.

Le docteur refusa de lui en donner davantage.

— C'est assez, déclara-t-il, plus tard on lui en donnera ce qu'il voudra, mais pour le moment ce serait dangereux.

Puis il lui demanda en anglais combien de jours il y avait qu'il n'avait mangé.

L'inconnu fixa un regard sombre sur son interrogateur, et parut tout d'abord fort peu disposé à répondre.

Cependant il se décida.

—Quatre jours..... répondit-il laconiquement.

Puis, sans ajouter une parole, il se prit à considérer l'appartement et les trois hommes qui s'y trouvaient.

Au bout de quelques minutes, il rompit le silence.

— Je suis à bord d'un navire? demanda-t-il.

— Oui, mon brave, répondit Maclean, qui entrait au moment, et qui, après avoir remis la goëlette en marche, venait s'enquérir de l'état du naufragé, vous êtes à bord de *la Sarah*, une bonne petite goëlette dont j'ai l'honneur d'être le capitaine, et qui, Dieu aidant, ne tardera pas à vous remettre sur la terre ferme, ce qui, entre nous soit dit, sera quelque peu préférable aux planches pourries du canot qui vous portait.

Au nom de *la Sarah*, l'inconnu avait visiblement pâli, mais il voulut dissimuler son trouble et s'efforça de reprendre aussitôt :

— En effet, *senores*, répondit-il en portugais, et je vous remercie de ce que vous avez fait pour moi.

Maclean et Jérémias parlaient et comprenaient fort bien le portugais et ne perdirent pas une seule parole.

— Vous nous remercierez demain ou plus tard, reprit le docteur, vous avez besoin de repos maintenant.

Et il sortit en emmenant ses amis.

Sur le pont, Maclean interrogea de nouveau le ciel et fit diminuer de toile en prévision de la bourrasque qui ne devait pas tarder à se faire sentir.

Le marin ne se trompa pas, la nuit fut très-mauvaise, *la Sarah* roula comme un « panier à salade, » et nos amis, encore novices à ce jeu, furent terriblement secoués dans leurs couchettes.

VI. — Histoire d'un Inconnu.

— C'est égal, disait le lendemain Wilson au déjeuner, il a une figure qui ne me revient pas.

— Allons donc Monsieur, quelle figure voulez-vous à un homme qui ne s'est rien mis sous la dent depuis quatre jours ? dit Maclean.

— C'est assez vrai, approuva le docteur, mais il a l'air bien sombre, mon malade!

— Chagrin de cœur, fit le vicomte.

— Peut-être.

— Comment va-t-il, ce matin? demanda Wilson.

— Beaucoup mieux, répondit le docteur; il voulait se lever, mais je l'en ai détourné en lui représentant qu'il lui fallait encore un peu de repos. Puis, comme je sortais, il m'a rappelé pour me demander si *la Sarah* n'était pas un brick portugais.

— J'entends d'ici votre réponse, dit Maclean. Tout cela est fort étrange, mais tôt ou tard nous en saurons probablement plus long. Du reste, nous irons ensemble le voir après le déjeuner, et quoiqu'il ne semble pas *loquace*, peut-être se décidera-t-il à nous expliquer comment il se fait que nous l'ayons trouvé abandonné dans un mauvais canot, sans manœuvres, sans armes, sans vivres, dénué de tout; toutes choses qui, à moins d'être Œdipe, me paraissent difficiles à expliquer.

Lorsque les amis rentrèrent dans la chambre de leur hôte malgré lui, ils le trouvèrent levé et assis sur sa couchette. Il se leva à leur entrée et voulut rester debout, mais Jérémias le contraignait à se rasseoir.

— Comment vous trouvez-vous maintenant?
lui demanda en portugais Maclean.

— Oh! complètement remis, *senor*, grâce à
vous, car j'ai pu me tirer de ce mauvais pas,
ce dont je vous remercie du fond du cœur.

— Ce n'est point moi qu'il faut remercier
répliqua Maclean, mais le docteur que voilà
car je croyais le canot abandonné et ne voulais
pas changer ma route. C'est lui qui le premier
vous a aperçu et nous a décidés à aller jusqu'à
vous.

— Je vous remercie tous, *senores*.....

— A notre tour, interrompit sans façon Wilson, nous allons nous permettre de vous demander un renseignement.

— Y aurait-il indiscrétion de vous demander
comment il s'est fait que nous vous ayons
trouvé ainsi abandonné, et quelles sont les circonstances qui vous y ont conduit?

L'inconnu regarda froidement ses interlocuteurs, et ne voyant autour de lui que de
fermes et loyaux visages, il se décida à parler.

— Senores, fit-il, vous pourriez me croire
un malhonnête homme, si je vous cachais ce
récit qui vous intéresse, et je ne veux pas qu'il
puisse rester des doutes dans votre pensée.
C'est une longue histoire que la mienne, senores,
bien pénible surtout à raconter pour celui dont

le cœur en saigne encore ; mais je vous crois tous hommes d'honneur, et si vous pensez que ce récit puisse vous intéresser, je vais satisfaire une curiosité naturelle que vous avez le droit de manifester après ce que vous avez fait pour moi.

— Soit, répondirent les amis, parlez.

— Une minute, réclama Maclean, je monte sur le pont y jeter un coup d'œil et je reviens.

— Les senores comprennent-ils tous le portugais? demanda l'inconnu.

Sur la dénégation de Wilson, il reprit :

— Je vais donc m'exprimer en anglais, que chacun doit comprendre.

Lorsque Maclean rentra, l'inconnu se raffermit sur le bord de la couchette d'où le roulis l'avait fait glisser peu à peu, et passant la main sur son front, il sembla à la fois rassembler ses souvenirs et chercher de la force pour commencer son récit.

Ses auditeurs étaient suspendus à ses lèvres comme pour saisir au vol les paroles qui allaient en tomber. Ils devinaient qu'il y avait eu un grand malheur dans la vie de cet homme.

Il régnait dans la cabine un silence de mort.

— Senores, commença l'inconnu, mon nom doit peu vous importer. Je me nomme Alonzo Garcias, et je suis natif de Lisbonne. Je ne vous parlerai pas de ma jeunesse, elle s'écoula tranquille et heureuse sous le toit paternel, car j'avais encore, comme vous peut-être, senores, une bonne mère, dont le tendre regard veillait sans cesse sur son enfant. Je me souviens de ma mère et je la vois comme au jour où je baisai pour la dernière fois son front glacé et ses cheveux blancs.

Il s'arrêta un instant.

Le vicomte avait senti son cœur se serrer malgré lui. Lui aussi il avait eu une mère qu'il avait chérie, et ce souvenir du bonheur passé évoqué par un inconnu, était venu le frapper en pleine poitrine.

— Mon père mourut d'abord, ma mère le suivit de près ; je restai seul avec une sœur en bas âge, un petit ange aux yeux bleus et aux joues roses qui ne cessait de se suspendre à mon cou et de m'appeler, entre deux baisers, son frère !

Mes parents en mourant m'avaient laissé quelque fortune ; l'ambition me saisit, je résolus de la faire valoir et de l'augmenter encore, et je partis pour l'Afrique, où je me livrai au commerce de l'ambre et de l'ivoire. Je laissai ma jeune sœur à la garde d'une vieille tante et je partis, le cœur plein d'espérance, pensant revenir bientôt riche à pouvoir donner une dot à ma Rosita.

Ce que j'aurais d'abord dû vous dire, c'est que mon père se trouvant un jour à la chasse avec un de ses voisins, l'avait mortellement atteint par mégarde d'un coup de carabine. Ils vivaient ensemble en bonne intelligence, et ce remords fit blanchir les cheveux de mon père en une seule nuit. Il était bien innocent pourtant de ce crime involontaire, dont le châtiment devait injustement frapper son fils.

La victime de cette fatalité avait laissé aussi un fils, qui voulut croire plutôt à l'assassinat qu'à l'erreur, et qui voyant que la justice n'inquiétait pas mon père, promit de se venger tôt ou tard de cette perte sur le seul homme qu'il pût frapper.

Dix ans après tout cela, je revins à Lisbonne avec une somme assez ronde, et au lieu de l'enfant que j'avais laissée au départ, je retrouvai une jeune fille, presque une femme, dans tout 'éclat et la fraîcheur de ses seize ans.

Je crus que le bonheur allait enfin entrer dans notre maison; mais, au moment où j'allais repartir pour la seconde et dernière fois, notre tante mourut, et dans l'alternative de laisser ou plutôt d'abandonner ma sœur à Lisbonne, ou de l'emmener avec moi courir les aventures, comme l'avare, je préférai veiller sur mon trésor, et cédant à ses instances pressantes de ne pas la laisser seule en Europe, nous partîmes ensemble.

Nous nous arrêtâmes au Cap, où relâchait le navire qui nous portait, et le premier visage que j'aperçus en débarquant fut celui de Miguel Jovellar, mon plus mortel ennemi, le fils de la victime!.....

Sa haine aurait dû être éteinte depuis dix ans passés.

— On ne pardonne donc pas dans votre pays, interrompit le vicomte, on n'y respecte donc pas Dieu?.....

— La vengeance était son seul dieu, répliqua Garcias. Du Cap nous nous dirigeâmes vers la côte de Mozambique, et au départ j'aperçus un brick d'allure suspecte qui suivait le nôtre et faisait exactement même route, diminuant de toile avec nous, s'en chargeant avec nous.

Je ne sais quel pressentiment m'avertit alors, mais il me sembla que Miguel devait être à bord et qu'il nous épiait.

Nous restâmes peu de temps à Mozambique, et nous nous enfonçâmes dans le pays haut, aujourd'hui assez fréquenté.

Ma Rosita était courageuse comme un homme et je ne regrettais plus de l'avoir emmenée pour partager mes périls et lui donner la joie de mon affection. Je me reprochais du reste ma lâcheté quand je songeais que j'étais armé et que j'étais là pour la défendre.

Une nuit..... et Garcias s'arrêta en passant la main sur son front baigné de sueur.

Une nuit!..... répéta-t-il, nous reposions sur notre chariot. Je crus entendre du bruit près de moi, mais les noirs devaient veiller au-dehors, je me sentis tranquille et me rendormis.

Peu de temps après, je sentis une main se placer sur mon épaule et la serrer avec force ; je voulus me lever, et là seulement je m'aperçus que des cordes me liaient les membres et que je ne pouvais faire aucun mouvement.

J'étais prisonnier.....

De qui?.....

De Miguel Jovellar, dont la figure railleuse, éclairée par un rayon de lune, se penchait au-dessus de moi.

Je crus faire un mauvais rêve, et la douleur que mes mouvements brusques me causèrent me rappela seule à la réalité.

Puis soudain, un doute horrible traversa mon esprit, je jetai un cri d'angoisse et un regard sur l'endroit du chariot où avait l'habitude de reposer ma Rosita, ma chère sœur!.....

Alors..... alors.....

Le Portugais se leva et se mit à marcher avec agitation à travers la cabine. Les auditeurs ne se possédaient plus. Jérémias voulut lui prendre le bras et le forcer à se rasseoir, mais il le repoussa brusquement.

— Je regardai, senores, reprit-il, les poings serrés, et un éclair de rage dans les yeux; la place était vide et ma sœur avait disparu.

Je poussai un cri de désespoir auquel mon ennemi répondit par un éclat de rire infernal.

— Ma sœur, ma Rosita, où est-elle?

— Ta Rosita, me répondit le démon, elle était là, sous tes yeux..... et, mauvais frère, tu n'as pas su protéger son sommeil : on l'a enlevée sans que tu aies daigné détourner la tête.

Ce reproche m'alla droit au cœur, il me sembla que j'étais cause de ce qui arrivait, car j'ignorais qu'à ce moment même on m'avait déjà garrotté les membres.

— Miguel, lui dis-je avec calme, d'abord il n'est pas généreux de s'attaquer à une femme, et je voudrais ensuite savoir pourquoi tu m'as lié de la sorte.

— C'est une longue et vieille histoire dont tu devrais te souvenir, me répondit-il. Ne te rappelles-tu pas, qu'il y a de cela une quinzaine d'années, ton père tua le mien dans une partie de chasse où ils étaient seuls tous deux. L'on

5

attribua la mort à une cruelle méprise, mais son fils avait bien le droit de juger le meurtrier, et pendant que les juges l'absolvaient, il le condamnait dans son cœur comme l'assassin de son père. T'en souviens-tu, Alonzo?.....

— Oui, répondis-je, je m'en souviens, mais tu te trompes, Miguel : mon père n'était pas coupable, et le regret seul de cette mort a hâté la sienne.

— Il est mort trop tôt et au moment où j'allais pouvoir me venger, mais il a laissé des enfants, et la haine comme la fortune se donne en héritage. Ta sœur et toi, Alonzo, vous avez donc hérité de la haine que je portais à ton père. Et maintenant tu vas savoir ce qui t'est réservé.....

Quinze ans j'ai attendu, et mon cœur s'est révolté chaque jour contre cette attente. Plus de vingt fois, je t'ai tenu au bout de mon fusil, lorsque, caché dans les hautes herbes, je guettais ton passage, et vingt fois ma main n'a pas pressé la détente, et j'ai remis mon fusil sur l'épaule. Veux-tu savoir pourquoi, ajouta-t-il avec son même sourire diabolique? C'est que frappé par l'affection, j'ai voulu frapper par l'affection d'abord, et ensuite.....

Miguel n'acheva pas.

Je me sentis vaincu; je ne craignais

pour moi, mais tout pour ma Rosita, et lâche à mon tour, je m'abaissai jusqu'à supplier mon bourreau de ne point rendre une enfant innocente responsable de l'erreur funeste de mon père; je priai, je pleurai, rien n'y fit.

Il resta insensible et répondit à mes prières par des ricanements.

Puis, quand il eut bu mes larmes une à une il me fit enlever par deux esclaves et jeter sur son chariot, qui s'éloigna en abandonnant le mien, où se trouvait tout ce que je possédais.

A chaque instant il venait me voir et me demandait parfois si l'absence de ma sœur ne m'affligeait pas.

— Oh! si j'avais été libre, rugit en ce moment Alonzo en se jetant en arrière; mais le bourreau avait eu soin de s'assurer de la patience de sa victime, et les cordes qui me rentraient dans la chair en étaient la meilleure garantie.

Nous marchâmes longtemps comme cela, jusqu'au moment où nous arrivâmes sur un point désert de la côte que je ne connaissais pas.

Là seulement, on me fit descendre du chariot et j'aperçus au large un brick qui se maintenait sous voiles en se rapprochant de terre. Nous devions y embarquer.

Incapable de faire un mouvement, j'y fus

transporté et jeté dans une cabine étroite dont Miguel ferma la porte et prit la clef.

Je ne sais combien de temps nous restâmes en mer. Je commençais à perdre toute connaissance, quand un jour Miguel vint ouvrir la porte de ma prison et me fit conduire sur le pont.

Nous étions en pleine mer, et nulle part autour de nous l'on n'apercevait la côte.

Miguel me fit voir un canot dans lequel il n'y avait pour tout armement que deux avirons. Après m'avoir délié les mains et les pieds, il m'y fit descendre, largua l'amarre et poussa l'embarcation au large, pendant qu'hébété et pouvant à peine me soutenir, je regardais le brick s'éloigner.

Je voulus me servir des avirons, mais les poignées en avaient été sciées d'avance, et se brisèrent au premier effort.

Je restai d'abord anéanti, mais le sentiment me revint, et j'aperçus mon bourreau les bras croisés, debout sur l'arrière du navire qui s'enfuyait.

— En grâce, Miguel, lui criai-je, je te pardonne, qu'as-tu fait de ma sœur?

— Puisque tu tiens à le savoir, elle est bien loin maintenant, me répondit-il avec son même sourire sardonique. De femme libre elle est devenue esclave, et tu sais que tout esclave appartient à son maître et doit le suivre. Je suis bien vengé !..... ajouta-t-il. Adieu, Alonzo Garcias.

Ce fut un moment terrible, reprit le Portugais, mais je ne perdis pas courage, et là, seul, abandonné de tous, sur ma pauvre barque dont les planches menaçaient de se déjoindre au moindre effort, j'appelai Dieu à mon aide, et devant mon bourreau, un bras levé vers le ciel, et l'autre sur sa tête, je fis le serment de vivre, s'il était possible, pour retrouver ma Rosita, en priant le grand Maître de prendre pitié de la victime et de punir le meurtrier.

Il m'a déjà exaucé en partie, puisqu'il m'a sauvé d'une mort assurée, vous le savez mieux que tout autre, vous qu'il a chargés de ce soin, et maintenant j'ai la volonté de retrouver ma sœur, de la revoir encore, et si jamais..... je rencontrais le meurtrier face à face, je.....

— Vous pardonneriez, senor, fit doucement Wilson.

— Non, s'écria le Portugais, dont le visage prit une expression terrible, sur les cendres de mon père innocent, pour qui j'ai été lâchement et injustement torturé, je ne pardonnerais pas !.....

— Il faut cependant pardonner pour être

pardonné à son tour, dit Maclean. Vous êtes un
brave cœur, et tout ce que nous pourrons faire
pour vous, nous le ferons, soyez-en sûr.

Et, ce disant, l'Ecossais lui tendit les deux
mains en même temps que ses amis. Ce fut
une muette étreinte par laquelle ces nobles et
généreux caractères voulaient compatir à la
douleur de cet homme qui avait été si cruellement éprouvé.

A cette démonstration, Alonzo Garcias trem-
bla et une larme vint perler sur les cils de sa
paupière brunie

— Merci, senores, balbutia-t-il d'une voix
que l'émotion rendait inintelligible, encore une
fois..... merci!.....

Et *la Sarah* courait toujours sous la brise
qui la poussait en avant et gonflait ses voiles
blanches comme les ailes d'un oiseau de mer.

VII. — La Cataracte Moroumboua.

Au milieu du désordre chaotique d'une masse
énorme de roches noires et polies, jetées con-
fusément les unes sur les autres par la nature
capricieuse, au-dessus de l'eau tourbillonnante
du Zambèze, en face des montagnes rocheuses

se profilant ou s'estompant en noir sur le ciel gris et couvertes depuis la base de broussailles épineuses, quatre hommes, assis sur un quartier de roche, contemplaient dans un silence admiratif le splendide spectacle qui se déroulait sous leurs yeux.

Là, le Zambèse roulait ses flots limoneux qui charriaient des branches entières chargées de feuillage, et coulait majestueusement au milieu d'une foule de petites îles couvertes de verdure qu'il semblait à la fois étreindre et caresser, et qui ressemblaient à autant d'émeraudes enchâssées au milieu d'une rivière de perles.

En amont, son cours était large, puis soudain il se resserrait à un de ses coudes, et deux montagnes semblant s'avancer à la rencontre l'une de l'autre ne laissaient plus à ses eaux qu'un passage étroit.

Là, le continuel remous des vagues se heurtant contre le bord poli des rochers, soulevait parfois des flots d'écume qui retombaient en pluie pour aller frapper plus loin, où les roches prenaient un pan d'inclinaison de plus de six mètres, et rendaient la navigation impossible à toute autre époque qu'à celle des grandes eaux.

L'eau se précipitait en tourbillonnant sur le dos des roches noires, qu'elle enveloppait en tombant d'un immense manteau d'écume, et s'en allait former ensuite un peu plus bas quelques cataractes plus petites.

Les deux montagnes, sortes de piliers géants qui s'avançaient dans le fleuve, dominaient le tout de leur haute et splendide structure, et ce tableau avait pour cadre de vastes forêts d'une végétation extraordinaire qui pouvait reporter à cette époque nommée par les géologues « la période carbonifère. »

Cette masse imposante de rochers tordus, noircis et brisés, baignée par ces flots bouillonnants d'écume, ces forêts dont le pied apparaissait dans les nuances vaporeuses de l'horizon, formaient un spectacle si grandiose qu'on était contraint d'admirer et de rêver malgré soi.....

C'était ce que faisaient les quatre hommes qui étaient assis et qui dominaient du regard la cataracte Moroumboua.

Ces quatre hommes étaient facilement reconnaissables.

Wilson, Jérémias, Georges et Maclean.

Quand nous les avons laissés sur *la Sarah*, cette dernière faisait bonne route et avait sans accident gagné la baie d'Algoa, où Maclean avait dessein de se rendre en quittant le cap de Bonne-Espérance.

Rendu là, il s'était décidé, sur la prière du

docteur, à remonter jusqu'à Quilimané, à l'em-
bouchure du Zambèse, et y déposer Alonzo
Garcias, qui ne les avait pas quittés, et qui
avait dessein d'aller chez le gouverneur de Télé
lui demander aide et protection dans la tâche
difficile qu'il avait entreprise de retrouver et
délivrer sa sœur.

Il n'avait pas voulu attendre les amis, et était
parti immédiatement pour se rendre à Télé.

Puis, de gré ou de force, moitié de l'un moitié
de l'autre, Maclean avait été amené à accompagner ses amis dans leur excursion à travers
le pays avoisinant, suivant le désir du docteur,
qui voulait leur montrer le Zambèse et ses
cataractes.

En vain il avait essayé toutes les représen-
tations.

— Mais, Jérémias, avait-il dit, je suis marin,
c'est tout; parle-moi de conduire un navire,
beau, mauvais temps, j'y suis; mais je suis
malade lorsque je me sens la terre sous les
pieds, et je ne serai pour vous, marcheurs infatigables, qu'un motif d'ennui de chaque jour.

— Tu ne marcheras pas, lui avait répondu
l'implacable docteur, tu seras porté.

Et en effet, Jérémias était en négociation
pour acheter des bœufs destinés comme mon-
ture à la petite troupe.

Maclean en avait donc pris son parti, et après avoir laissé son navire à Quilimané sous la garde de ses matelots, il s'était mis en route avec les amis.

Alonzo Garcias n'avait pas oublié la dette de reconnaissance que la Providence lui avait fait contracter, et il avait promis de les retrouver dès qu'il lui serait possible, pour leur apprendre le résultat de ses recherches.

Maintenant que nous avons appris au lecteur comment il se fait que nous retrouvons en un pareil lieu nos anciennes connaissances, il ne nous reste plus qu'à laisser parler librement le docteur, qui était engagé dans une discussion avec Wilson, et qui, selon son habitude, paraissait fort animé.

— Docteur, lui disait Wilson en riant, m'expliqueras-tu de quelle façon il peut se produire une cataracte, ou tout autre bouleversement de ce genre?..... Pourquoi.....

— Pourquoi!..... pourquoi!..... interrompit le docteur assez haut, mais c'est très-simple. Par exemple, une hypothèse.....

— Ah! s'écria Wilson, toujours des hypothèses!.....

— Mais la science n'est que cela, fit Maclean; sans hypothèses, rien.

— Comment aurait-on pu remonter à la

source des choses premières sans avoir pris un point de départ ? poursuivit le docteur. Le point de départ choisi, c'est l'hypothèse.

— Soit.

— La terre a dû être primitivement dans un état de fusion incandescente, puis elle s'est refroidie. Les eaux, alors condensées en vapeur dans l'atmosphère, se sont précipitées sur cette première pellicule, qui enveloppait de toutes parts le noyau central formé par les autres matières toujours en fusion, et ont formé nos océans.

Ces derniers devaient atteindre en ce moment un niveau égal partout, par la même raison que la terre présentait fort peu d'aspérités.

— D'accord, approuva Wilson.

— J'ai dit, reprit le docteur, que le noyau central de la terre était en fusion, comme, du reste, il l'est encore aujourd'hui. Les roches que vous voyez là, continua-t-il en étendant la main, ont donc été liquéfiées par le feu, puis, en se refroidissant, ont pris, moins la déformation que le temps leur a imprimée, la même forme qu'elles possèdent encore aujourd'hui.

— Jusqu'ici tout est bien, fit Wilson, mais l'explication de leur éruption et de la position qu'elles occupent ?....

— Ah! l'éruption, voilà le grand mot lâché, le mot peut être donné avec inconscience.

— Tu ne crois guère à mes connaissances en géologie, s'écria Wilson d'un air piqué.

Le docteur se prit à sourire.

— La terre est aplatie par les pôles et renflée à l'équateur, continua-t-il en raffermissant ses lunettes, on est donc conduit à admettre tout d'abord la liquéfaction de sa masse entière, pour que la force centrifuge, produite par le mouvement de rotation diurne, ait fait glisser ses parties matérielles les unes sur les autres.

— La preuve..... demanda Maclean, qui la donne?.....

— L'expérience et le calcul, repartit Jérémias sans se déconcerter.

— L'on a étudié à fond la question et l'on a trouvé qu'une masse quelconque, fluide toutefois, et librement suspendue dans l'espace, prendrait en tournant sur elle-même la forme précise de la terre, c'est-à-dire d'une sphère aplatie vers ses pôles et renflée à l'équateur, comme je l'ai dit tout-à-l'heure.

— Comment expliques-tu le refroidissement de la terre? demanda Wilson.

— Par son mouvement dans l'espace..... Mais si tu m'interromps toujours, je ne pourrai pas finir.

— Je suis muet, repartit Wilson.

— Depuis sa création, la terre a subi bien des conformations produites la plupart par les tremblements de terre.

Suppose un déplacement de la masse intérieure, poussant en avant le terrain qui se trouve au-dessus d'elle. St l'effort intérieur est trop grand, le terrain supérieur, qui peut être intérieurement composé de roches, cède et émerge à la surface.

Voilà une toute simple explication de ce que tu me demandais.

— Ami docteur, répondit Wilson, nous te remercions tous des renseignements que ta science a bien voulu nous fournir. Cependant, un dernier mot : les volcans ont-ils cette même cause directe dont tu viens de nous entretenir?

— Les volcans, fit Jérémias, sont aussi un effet de la chaleur souterraine, et sans eux la terre serait peut-être bouleversée chaque jour. Intérieurement, tu as de la chaleur et de la pression, n'est-ce pas, que dégagent les corps en fusion; lorsque cette pression est trop forte, elle tend à soulever le terrain environnant; mais, trouvant une issue facile par le cratère des volcans, elle s'échappe par là.

Les volcans ne sont donc que des conduits de sûreté, si l'on peut employer ce terme, couduits établissant une communication temporaire ou permanente de l'intérieur du globe avec sa surface. J'ai dit.

Et, d'un geste triomphant, le docteur affermit encore une fois ses lunettes, que ses mouvements avaient déplacées.

Il eût été peut-être difficile de reconnaître le pacifique docteur, qui était aussi commun à ses amis.

Tous quatre habillés d'une veste de grosse toile, d'un pantalon de cuir léger et de bottes hautes pour échapper à la piqûre des insectes ou des serpents, coiffés de larges chapeaux de feutre souple, le fusil en bandoulière, revolvers et couteau de chasse à la ceinture, ils avaient parfaitement changé de physionomie.

Le docteur lui-même avait un air guerrier qui le rendait presque comique, grâce à l'habitude qu'on avait de le voir vêtu de sa longue redingote; mais l'on n'était pas à la tenue près, et l'on ne pouvait guère avoir que les indigènes pour admirateurs.

— Ça, fit Maclean, si nous retournions où nous avons laissé nos bagages?

— Soit, fut-il repris en chœur.

Et ils descendirent par les roches escarpées vers les mangliers qui bordaient la rive droite du fleuve.

Le chemin n'était guère facile à des gens qui n'en avaient guère l'habitude, et le plus leste était encore le docteur, qui rappelait en riant l'excursion de la montagne de la Table.

— Ce n'était rien encore, répliqua Georges.

— Et vous vous plaigniez encore !.....

— Nous ne sommes pas agiles comme vous, docteur, répondit courtoisement le vicomte ; la vie des villes n'habitue pas à ces sortes de fatigues.

Tant bien que mal, ils arrivèrent au bas de la montagne et se dirigèrent à travers le fourré du côté de leur lieu de campement.

Dick, qui avait accompagné son maître, accourut au-devant d'eux en sautant et en aboyant de joie ; on eût dit que l'intelligent animal avait souffert de l'absence de son maître.

VIII. — Épisodes.

La suite des amis n'était pas nombreuse : quatre noirs qu'ils avaient loués à Quilimané, ainsi que cinq bœufs qui les portaient eux et leurs bagages.

En Afrique, l'on ne connaît guère de routes tracées, l'on n'a pas d'ingénieurs s'efforçant de vous frayer un passage convenable et facile, de sorte que moins l'on est, mieux peut-être cela vaut, en mettant de côté la question de sécurité.

Où ils étaient, ils n'avaient pas grand'chose à craindre, car le pays était assez fréquemment sillonné par les chaînes d'esclaves dont les Portugais font encore la traite, et qu'ils conduisent soit à Quilimané, soit à Mozambique. Maclean avait insisté pour que l'on prît le moins de monde possible afin de ne s'imposer ni retards ni désagréments. Il disait retard, car il eût préféré se trouver à bord de *la Sarah*, et s'il accompagnait les amis, ce n'était que par pure complaisance.

Jérémias avait choisi le lieu du campement pour la nuit. Le bois de mangliers s'étendait assez au loin, et Jérémias s'était établi au beau milieu, de façon à éviter dans la mesure du possible la morsure des maringouins, moustiques et autres insectes dont les morsures sont désagréables au dormeur.

De plus, il s'était éloigné des fleuves, prétendant avec raison que le terrain était fort humide, et que du reste le campement au milieu des roseaux, des joncs et des fourrés ne pouvait avoir rien de très-rassurant.

Pendant l'ascension et la visite de nos amis à la cataracte de Moroumboua, les noirs s'occupaient de bâtir des huttes pour la nuit, et lorsqu'ils revinrent ils trouvèrent au milieu des mangles huit petites habitations de branchages, pas bien élégantes, mais dont l'épaisseur de toiture et de parois promettait pour la nuit un abri suffisant.

Les bœufs étaient débarrassés de leur charge et paissaient tranquillement sur le bord de la prairie.

— Il faudra attacher les bœufs ce soir, dit en anglais Wilson à un des nègres.

— Oui, maître.

— Messieurs, fit Georges, je propose un tour dans les mangliers avant que le soleil ne soit couché. Nous y trouverons peut-être quelque gibier passable à ajouter au dîner.

— Oh! nous sommes bien approvisionnés, répliqua Maclean, mais, n'importe, allons; la chasse est toujours un passe-temps agréable.

Avant de partir, le docteur recommanda aux nègres de ne pas s'éloigner et de préparer tout ce qu'il fallait pour la nuit.

Puis ils s'enfoncèrent dans les mangles, le docteur en tête.

Il était infatigable.

Le nez au vent, l'oreille au guet, allant aussi vite que Dick, le chien de Maclean, qui furetait dans le fourré, il restait insensible aux railleries de Wilson, qui, lorsqu'il le pouvait, ne manquait jamais une occasion de taquiner.

Ce fut cependant le docteur qui tira le premier coup de carabine et montra triomphalement à ses compagnons une superbe pintade que Dick venait de rapporter.

— Beau coup ! fit railleusement Wilson.

— Poudre perdue ! continua sur le même ton Maclean.

Georges se contenta de sourire de ces petites malices à l'adresse du docteur.

— Faites-en donc autant, répondit ce dernier, et vous aurez peut-être alors raison contre moi.

Wilson tira le second coup de carabine sur quelques oiseaux qui s'envolèrent d'un buisson d'acacias, et peu d'instants après, Dick rapportait une seconde pintade, que Wilson s'empressa d'opposer à celle du docteur.

Nos amis poursuivirent leur chasse en avant dans l'épaisseur du bois, mais à part quelques oiseaux de petite taille qui gazouillaient joyeusement dans les fourrés et de quelques perroquets perchés sur la cime des arbres, ils n'aperçurent plus rien, et, lassés, ils revinrent sur leurs pas chercher le souper, auquel ils auraient voulu ajouter quelque fin morceau.

Fort heureusement, les provisions étaient

nombreuses et variées, et ils s'assirent en ar-
rivant au campement devant une bonne tranche
de bœuf conservé que quelques minutes de
cuisson rendirent délicieux.

Le dîner fut suivi d'une tasse d'excellent thé
que Wilson prépara lui-même, puis on alluma
le feu de bivoac, pour éloigner les bêtes fauves
qui auraient pu se trouver dans le voisinage,
et chacun bourra sa pipe ou alluma un bon
cigare.

La causerie se continua assez avant dans la
soirée, et Jérémias fut obligé de donner le premier le signal du repos. Déjà les noirs s'étaient
glissés dans leurs huttes, après avoir attaché
solidement les bêtes auprès d'eux.

Wilson alimenta par de nouveaux branchages
le feu qui menaçait de s'éteindre, et chacun
alla goûter les douceurs du sommeil, en ayant
soin de placer sa carabine à portée de la main.

Ils n'en avaient guère besoin, cependant,
contre les ennemis qui allaient les assaillir.

Au bout d'une heure, personne ne dormait
encore, et on put entendre un grognement
sonore partir de la hutte qu'occupait Jérémias.

— Ohé !..... Jérémias, dors-tu ?..... demanda
Wilson.

A cette question que l'on fait ordinairement
comme s'il était supposable qu'une personne

réellement endormie puisse répondre à l'inter-
pellation, nouveau grognement plus menaçant
cette fois.

— Hélas! non, répondit le docteur d'une
voix dolente, qui trouva pour écho un intermi-
nable éclat de rire.

Une nuée de moustiques s'était abattue sur
les malheureux dormeurs, et le sommeil qu'ils
goûtèrent cette nuit-là ne fut, ni pour les uns
ni pour les autres, de longue durée.

Aussi, le lendemain matin, le docteur, la
figure «bouffie» par la morsure des insectes,
proposa-t-il de s'éloigner au plus vite des bords
inhospitaliers du fleuve, pour essayer d'échapper à cet ennemi.

Les compagnons, qui avaient aussi mal dormi
que lui, goûtèrent cet avis et l'adoptèrent à l'u-
nanimité.

Ils déjeunèrent donc lestement, et partirent
en contournant la masse des montagnes pour
se diriger au nord-ouest.

Le beau temps avait remis Jérémias en belle
humeur, et il allait gaiement à pied en tête de
la troupe, pendant que ses compagnons le sui-
vaient, montés sur leurs bœufs.

— Cette direction que nous suivons, disait-il,
a été suivie de même par le docteur Livings-

tone, lorsqu'il se rendait aux chutes Victoria, en avril 1860.

— C'est encore récent, fit Georges.

— Certes oui, repartit le docteur, mais il n'en est point revenu, et je souhaite que chose pareille ne nous arrive pas.

Ce jour-là, ils firent à peine une vingtaine de kilomètres en longeant la chaîne de montagnes qui bordent le lit rocailleux du Zambèse, et pas un seul incident ne vint égayer la monotonie de la route.

Pas un village !..... Seuls, quelques indigènes qui apparaissaient et rentraient aussitôt sous bois à leur approche.

Le soir, ils adossèrent leur campement à une colline assez élevée, et purent alors être juges de la sagacité des noirs qui les accompagnaient.

L'herbe n'était en cet endroit ni assez haute ni assez épaisse pour en former une bonne couche, mais en revanche les palmiers y étaient en abondance.

Maclean avait dans son attirail de voyage plusieurs sacs vides qu'ils avaient apportés à tout hasard, en quittant le bord de *la Sarah*, et qui, pour le moment, n'avaient aucun emploi.

L'un des nègres vint en demander.

— Pourquoi faire? demanda Maclean.

— Le maître verra, répondit le nègre.

— Donne toujours, Maclean, fit le docteur, ils ne nous servent à rien.

Le nègre prit les sacs, en donna un à chacun de ses camarades, puis ils se mirent tous quatre à tresser des feuilles de palmier en longues et larges nattes.

Nos amis les regardèrent un moment, assez intrigués, puis ne s'en occupèrent plus.

Le soir, lorsque les feux furent allumés, et qu'ils se décidèrent à aller chercher dans le sommeil le repos qu'ils avaient pu trouver la nuit précédente, ils restèrent parfaitement étonnés en voyant allongées à quelque distance quatre formes rondes et longues, qui gardaient une immobilité parfaite.

Jérémias arma son revolver, ils s'approchèrent doucement, et reconnurent leurs nègres enfermés dans les sacs, qu'ils avaient recouverts de nattes tressées en feuilles de palmier.

De cette façon ils se trouvèrent à l'abri de la morsure des insectes, impuissants contre cette couche d'herbes qui les protégeaient, et aussi de la fraîcheur des nuits, qui ne pouvait les incommoder.

— Tiens! tiens, s'écria le docteur, mais ce

n'est point si naïf, cela!...... Nos nègres ont vraiment une invention qui leur fait honneur.

— Voudrais-tu comme cela t'enfermer dans un sac? lui demanda Wilson.

— Pourquoi non?..... répondit-il, je compte bien utiliser cela à mon profit ou au nôtre, si vous le voulez.

— Nous y réfléchirons, dit Georges.

Comme la nuit précédente, les noirs avaient bâti pour les voyageurs de petites huttes de branchages dont l'entrée restait libre.

Ces quatre petites habitations se touchaient presque entre elles et faisaient cercle autour du feu.

Jérémias souhaita le bonsoir à ses compagnons et se disposa à rentrer « chez lui, » comme il disait.

— Puissiez-vous dormir à votre aise! et moi aussi! fit-il en riant.

Un trio de remerciements accueillit ce bon souhait.

On ne saurait trop dire à quelle heure Jérémias se réveilla Il se mit sur son séant et pensa aussitôt à aller jeter du combustible dans le feu qui menaçait de s'éteindre.

La flamme s'éleva brillante après un peu de fumée, et comme en plein jour éclaira subitement les huttes jusque dans les recoins.

En y jetant un coup d'œil assez distrait, Jérémias crut apercevoir Georges qui le regardait les yeux grands ouverts.

En même temps, il lui sembla entendre bourdonner à ses oreilles son nom prononcé d'une voix étouffée.

Inquiet, mais ne voulant pas le paraître, il s'approcha doucement de la hutte et dit à demi-voix pour ne pas réveiller ses compagnons :

— Vous ne dormez donc point, monsieur de Morté?

— Chut! répondit celui-ci d'une voix basse et saccadée, n'approchez pas..... Allez chercher votre carabine ou votre couteau de chasse, et réveillez Wilson et Maclean.

— Qu'avez-vous donc? s'écria le docteur, effrayé malgré lui.

— Mettez-vous un peu de côté et regardez au-dessus de ma tête.....

Le docteur s'écarta comme on le lui disait, pour laisser pénétrer dans la cabane la clarté du feu, se pencha en avant et aperçut au-dessus du vicomte deux points brillants terminés par un corps long et fluet qui se balançait à une des branches du feuillage.

Ce n'était ni plus ni moins qu'une vipère noire, et le docteur reconnut bien vite cette dangereuse espèce, assez commune dans l'Afrique centrale, et dont la morsure est, dans presque tous les cas, mortelle.

Puis, en regardant de plus près, il aperçut deux autres points de même nature à quelque distance des autres.

— Ne bougez pas, dit-il au vicomte, je reviens.

— Pressez-vous, répliqua celui-ci, il me semble que j'étouffe !

— Du calme.

Le docteur courut réveiller ses compagnons, qui s'empressèrent de se lever à son appel.

En deux mots il les mit au courant de ce qui se passait.

— De la prudence et pas de bruit, dit-il, ou le vicomte est perdu. La vipère noire pardonne rarement.

Maclean avait déjà sa carabine.

Le docteur se contenta de tirer la baguette de la sienne et de la prendre à la main.

— Ne tirez pas, fit-il, au plus pressé d'abord, il y en a deux.

Ils revinrent prestement en face de la hutte du vicomte, qui semblait complètement fasciné par les regards fixes des deux reptiles.

On devinait qu'ils n'attendaient que leur bon plaisir pour se laisser tomber sur leur victime.

Le docteur s'avança seul sur le seuil de la hutte, ce que voyant, une des vipères roula

6

ses anneaux et tendit sa tête plate en poussant un sifflement de colère.

— Dès que vous me verrez frapper, dit-il à Georges, jetez-vous en avant, et je réponds du reste, même si je manquais mon coup.

Le reptile s'était alors redressé et fixait le docteur.

Le vicomte se levait doucement en s'accroupissant, prêt à se jeter en avant, comme on le lui avait ordonné.

Le second reptile s'était aussi roulé, et se balançait à une branche voisine, comme s'il eût voulu prendre de l'élan pour se précipiter sur ce nouvel agresseur.

Jérémias ne perdit pas de temps, la baguette d'acier qu'il tenait à la main se leva, fendit l'air en sifflant, et prit en travers le corps de la première des vipères, qui tomba en se débattant à la place même que le vicomte venait de quitter.

La tête était presque séparée du reste du corps.

— J'ai bien fait de vous conseiller la fuite, fit Jérémias en souriant.

Maclean avait ajusté la dernière, et visant avec son coup d'œil ordinaire, il la jeta à terre près de l'autre.

Jérémias les acheva à coups de baguette de fusil.

— Je l'ai échappé belle, murmura le vicomte, qui n'était pas encore bien remis de cette première impression de terreur que l'on ne peut comprimer.

— D'accord, repartit Jérémias; mais, que voulez-vous, mon cher vicomte, ici il faut s'attendre à tout, et je dis avec vous que la morsure des moustiques est encore préférable à celle de ces bêtes-là!..... Allons nous recoucher, et comme je suppose que vous seriez peu flatté de retrouver votre ancien lit, je vous offre la moitié de ma cabane; on y sera peut-être bien un peu gêné, mais à la guerre comme à la guerre, et ici comme ici.

— J'accepte, répondit le vicomte, nous essayerons de faire bon ménage.

— Je ne doute pas que cela soit, répliqua Jérémias en souriant.

Pendant ce temps, Maclean attisait encore le feu, et faisait à mi-voix ces réflexions :

— A bord de *la Sarah*, ma bonne petite goëlette, on n'avait pas tous ces désagréments, murmurait-il; la vie de *terrien* ne vaut pas celle de marin. Et ainsi de suite.

Les coups de feu n'avaient même pas réveillé les nègres, qui, pour ainsi dire cousus dans les sacs, dormaient profondément, ou du moins avaient mine de le faire.

L'incident fut clos et la nuit s'acheva cette
fois sans encombre.

IX. — Le Hongo.

Nos amis suivirent ensuite sans se presser
la vallée de Zibah, remarquable par son effet
pittoresque, sa fertilité naturelle et le gibier
abondant qu'elle renferme.

Maclean et Georges étaient d'accord pour y
rester quelques jours, mais l'impétueuse soif de
marche de Jérémias et de Wilson les contraignit
à pousser plus avant. Maclean lui-même, malgré
ses préjugés contre les *terriens*, comme on l'a
vu dans le chapitre précédent, Maclean, disions-
nous, charmé de cette vie aventureuse qui ne
laissait à personne le temps de se demander où
l'on serait le lendemain, ne parlait pour ainsi
dire plus de *la Sarah*, et suivait ses compagnons,
non-seulement sans répugnance, mais encore
avec un plaisir qu'il ne cherchait pas à dissimuler.

Ils s'arrêtèrent une journée dans la vallée de
Zibah, afin de se reposer, et repartirent le lendemain de grand matin.

Après avoir marché une partie du jour, ils
arrivèrent à l'entrée d'un village si bien euse-

veli sous un dôme de palmiers et de mangliers, qu'ils ne l'avaient pas aperçu à un mille de distance.

A leur approche, les guerriers se réunirent en armes et semblèrent délibérer sur la conduite à tenir envers ces intrus qui arrivaient ainsi, et dont ils ne connaissaient pas les intentions.

Georges, d'un caractère assez vif, commençait à s'impressionner de ces préparatifs hostiles, et semblait tout disposé à y répondre énergiquement, pendant que le docteur, par esprit de conciliation, s'évertuait à lui prouver qu'il en était presque toujours ainsi à l'arrivée d'Européens dans l'intérieur du pays, mais que les choses finissaient ordinairement par bien se terminer.

Aussitôt le docteur dépêcha un de ses nègres vers les indigènes, afin de leur faire savoir que les nouveaux venus n'avaient que des intentions pacifiques, qu'ils ne feraient aucun mal aux habitants de la tribu.

Les noirs semblèrent douter d'abord, puis se retirèrent en permettant à nos amis de faire leur entrée dans le village.

Les femmes et les enfants se sauvèrent bien leur approche, car, comme l'a dit le docteur Livingstone dans un de ses rapports de

voyages, rien n'est plus laid aux yeux d'un
Africain que le visage d'un blanc.

Toutefois, l'effroi finit par se calmer quand
nos amis se furent installés sous des palmiers
et qu'ils commencèrent à faire leurs préparatifs
de campement pour la nuit.

Jérémias donnait l'ordre aux noirs de préparer le souper, quand un indigène vint les
prévenir par signes que le chef de la tribu dé-
sirait leur parler.

— Venez, dit le docteur à ses compagnons,
ne faisons pas attendre son «Altesse,» car cela
pourrait nous coûter plus cher que nous ne
pensons, et, du reste, le coup d'œil vaut bien
la peine qu'on se dérange. C'est un événement
qui ne se reproduit pas tous les jours.

Nos amis suivirent donc l'indigène au milieu
des cases ombragées de palmiers et furent
bientôt suivis par plusieurs guerriers.

Quelques portes s'entr'ouvraient furtivement
sur leur passage, et des têtes noires et crépues
se penchaient curieusement au dehors pour
voir passer les hommes blancs.

Enfin ils arrivèrent devant le chef, qui était
accroupi sous un palmier dans un coin d'une
place formée par l'intervalle des cases.

Wilson faillit éclater de rire à la vue de cette

caricature grotesque, et ne parvint à tenir son sérieux que sur les remontrances du docteur.

Sandia — c'était le nom du chef — comme l'apprirent nos amis, était vêtu d'un pantalon ou plutôt d'un caleçon d'étoffe blanche. Il ne portait pas de chemise; un vieil habit d'uniforme — sans doute un présent des Portugais de Tété — était entr'ouvert et laissait voir sa poitrine velue. Un mouchoir à carreaux rouges et blancs, noué autour du cou, laissait retomber ses plis nonchalamment étalés sur le devant de l'habit, qui, là comme partout ailleurs, manquait absolument de boutons. Sa tête n'était protégée contre l'action du soleil que par les touffes abondantes de sa chevelure crépue.

C'était un assez bel homme qui portait hardiment, on pourrait même dire fièrement, le costume bizarre dont il était accoutré, et qui reçut ses visiteurs avec toute la hautaine complaisance d'un chef vis-à-vis de ses inférieurs. Wilson se tordit de rire lorsqu'il vit le docteur courber l'échine et s'incliner devant la Majesté Noire en semblant les inviter du regard à en faire autant.

Les guerriers furent bientôt réunis autour du chef et semblèrent attendre avec impatience le résultat de cette conférence royale dont nos amis ignoraient encore le but.

Un des noirs de la suite écorchant un peu d'anglais et s'exprimant fort bien en langue indigène, le docteur le choisit comme interprète et le chargea de leur transmettre les questions que sans doute le chef allait leur adresser.

Mais celui-ci, selon la coutume, les instruisit d'abord par un de ses guerriers de la noblesse de sa famille, de tous ses noms, surnoms et qualités, de ses liens de parenté avec toutes les illustrations du pays, puis, après les avoir considérés et avoir attendu l'effet produit par la tirade que l'indigène venait de débiter, il se décida à leur faire demander de quel pays ils étaient venus et où ils allaient présentement.

Avec la gravité dont il ne se séparait point, Jérémias fit répondre qu'ils étaient de l'autre côté du monde, qu'ils étaient venus pour voir le Moroumboua, et qu'ils parcouraient le pays en rendant visite aux chefs des tribus, qu'ils étaient fort désireux de connaître. Ils ne doutaient pas de la bonne intelligence qui devait toujours régner entre eux.

Sandia parut réfléchir, puis il répliqua que les étrangers venant sous leurs huttes avec de bonnes intentions seraient toujours les bienvenus ; que, du reste, à d'autres avant eux il avait *fait l'honneur* de les recevoir, et que

Sandia ne laisserait jamais les blancs manquer
de rien dans son pays.

Grâce au noir qui traduisait à peu près tex-
tuellement les paroles, nos amis comprenaient
fort bien, et Wilson murmurait à l'oreille de
Maclean qu'après tout leur hôte noir paraissait
« bon diable, » malgré la prévenance de ridicule
que l'on concevait à première vue.

L'entretien languissait et menaçait de tomber,
lorsque Sandia rappela doucereusement aux
étrangers que les chefs avaient coutume d'accepter un présent de bonne amitié, — simple
témoignage des blancs qui venaient les visiter,
et que nos amis ne voudraient pas déroger à
cet usage.

Sans s'émouvoir, Jérémias tira un mouchoir
de sa poche et le tendit au prince, qui le prit
sans paraître se blesser de cette façon d'agir,
mais qui se hâta d'ajouter que le présent était
mince et qu'il ne suffisait pas.

Ce présent n'était alors rien moins qu'une taxe
perçue pour le passage des étrangers, contri-
bution variable levée à tort ou à raison, mais
que tous les Européens étaient tenus d'acquit-
ter lorsqu'ils ne se trouvaient pas en force pour
résister aux exigences des chefs de tribus.

Ce droit de passage que, dans ses voyages, le
docteur Livingstone a payé bien des fois et

dont il a parlé, se nomme le « Hongo » et s'élève parfois à des prétentions prodigieuses et ridicules à la fois.

Jérémias repondit que pour le moment ils n'avaient pas de quoi contenter le désir du chef, mais qu'ils lui enverraient un présent plus raisonnable dès qu'ils seraient de retour à leur campement.

Là-dessus, Sandia congédia les voyageurs, qui se retirèrent en se livrant mutuellement à leurs observations, en général peu favorables à l'autorité « négritienne. »

Lorsqu'ils eurent regagné les palmiers où ils avaient laissé leurs bagages à la garde des noirs de leur suite, Georges demanda à Jérémias si décidément il allait faire un second cadeau.

— Certes, répondit le docteur, il le faut bien, sans cela ils ne nous laisseraient point passer, et, sans parler de l'ennui de rebrousser chemin, il est préférable de donner tout de suite un œuf pour ne pas perdre un bœuf par la suite. Non content de ne pas nous laisser traverser ce qu'il appelle « son territoire, » il nous ferait encore dépouiller, et prendrait de force dans notre attirail ce que nous n'aurions pas voulu donner de bon gré.

— Ça, fit Maclean, je vous demande ce que nous allons bien lui envoyer.

— En effet, il y a là-dessus matière à réflexion, ajouta Wilson.

— Si on lui envoyait une ou deux chemises ! il en a grand besoin ! proposa Maclean.

Il y eut un éclat de rire général auquel il fut obligé de prendre part.

— Bravo ! s'écria Georges, l'idée est bonne ; qu'en dites-vous, docteur ?

— Excellente ! fit celui-ci, et de plus pas coûteuse. Donc, Messieurs, si vous avez dans vos valises du linge avarié, présentez-le pour être envoyé au chef qui, j'en suis sûr, considérera cette attention comme un trait de sublime magnificence.

Quelques minutes après, trois mauvaises chemises étaient roulées en paquet et envoyées au chef, par un des noirs de l'escorte. Nos amis se frottèrent les mains, et attendirent le résultat de leur ambassade.

Le noir revint peu après, accompagné d'indigènes porteurs de présents du chef, qui se composaient d'un panier de farine de sorgho, d'une jarre de bière de bananes, et deux poulets cuits sous les cendres, qui furent à l'unanimité déclarés un délicieux et attrayant spécimen de la cuisine indigène.

Maclean se promit de s'en servir souvent et de ne plus manger de gibier sans emprunter ce

procédé. Le docteur se montra moins enthou-
siaste, mais fut d'accord sur la bonté de l'ac-
commodement.

Le lendemain matin, nos amis firent une
excursion aux alentours du village et rencon-
contrèrent un assez grand nombre d'indigènes
de la tribu de Sandia, les uns à la pêche, et les
autres à la chasse. La contrée, fort giboyeuse,
fournissait et au-delà à leurs besoins de chaque
jour, les approvisionnait largement de venaison,
entre autre de la chair de l'antilope sauteuse,
fort commune en ce pays.

Ce que nos amis remarquèrent, ce fut le peu
de vêtements employés par les indigènes, que
comme un objet de luxe et non au point de vue
de l'Européen, c'est-à-dire comme un article
de première nécessité.

Quelques-uns étaient vêtus — si cela peut se
dire — d'un lambeau d'étoffe qui leur serrait
les reins et descendait jusqu'aux genoux, mais
en généralité ils marchaient dans la nudité la
plus parfaite sans paraître y trouver l'inconvenance dont leur esprit primitif leur refuse
l'idée. Ils s'oignaient le corps de beurre ou
d'huile pour se préserver à la fois de la chaleur
du jour, de la fraîcheur des nuits et de la pluie.
Ils étaient tous grands et robustes, et de taille
à supporter la fatigue mieux qu'un Européen.

Ils paraissaient d'humeur égale, d'un caractère doux et pacifique, et les réponses que le docteur put obtenir sur les questions posées à quelques-uns d'entre eux furent des plus satisfaisantes.

Le voisinage des Portugais les importunait fort peu; du reste, ils n'avaient avec eux que de très-restreintes relations, et le commerce se bornait seulement à l'échange de quelques défenses d'ivoire qu'ils troquaient contre de l'étoffe ou des colifichets de vil prix. La tribu était en ce moment plongée dans le deuil.

Après s'être mesurée avec une peuplade voisine, elle avait perdu un grand nombre de ses membres, faits prisonniers par les vainqueurs, qui les vendaient aux traitants.

Ils avaient donc été emmenés par ces derniers, malgré tous les efforts de leurs frères pour les délivrer.

Il est une idée parfaitement fausse qui, dans les pays les plus civilisés de l'Europe, subsiste encore aujourd'hui : c'est la pensée et la conviction de la totale abolition de l'esclavage. Malgré tous les efforts tentés par les idées humanitaires pour empêcher cette atroce spoliation du droit de liberté qui place un homme au-dessous d'un autre et le livre au pouvoir de ce dernier, l'esclavage existe, et les Portugais

7

en Afrique en font un commerce qui est restreint aujourd'hui, il est vrai, à des proportions fort modiques, rendues évidentes par la difficulté de transport.

A la Havane, à Cuba, et dans la plus grande partie des possessions espagnoles, l'esclavage existe; il est voilé par les dehors de la domesticité, mais il n'en est pas moins exact que le noir s'y trouve placé beaucoup au-dessous de nos serviteurs d'Europe, et qu'il est parfois — presque toujours — dans l'impossibilité de quitter son maître pour un autre, alors même que les mauvais traitements pourraient être le mobile de cette séparation.

Grâce à la facilité des communications, nos navires de guerre croisent en tous sens dans les parages jadis fréquentés par la traite, et cette dernière ne se sentant pas en sûreté, ne se risque maintenant qu'en des circonstances favorables fort heureusement assez rares, et a en partie renoncé à l'immense et ignoble bénéfice qu'elle réalisait en spéculant sur l'existence et la force humaines.

En 1850, et même plus tard, toute la partie de l'Afrique dont nous parlons était sillonnée par de nombreuses chaînes d'esclaves, hommes, femmes et enfants, que l'on dirigeait sur divers points de la côte d'où on les embarquait soit

pour Saint-Domingue, soit pour les autres pays
limitrophes où la culture du café et des cannes
à sucre réclamait des bras vigoureux.

. . . .

Après avoir parcouru le village, dont l'assem-
blage des huttes grossières n'offrait qu'un intérêt assez médiocre, nos amis se décidèrent à
reprendre leur vie nomade et à quitter la vallée
de Zibah en remontant la petite chaîne de montagnes qui la protégeait.

Avant de partir, ils allèrent faire leurs adieux
au chef et le remercier de l'hospitalité que leur
avait offerte la tribu, remerciement dont il profita pour demander encore au docteur une petite
hachette d'acier que ce dernier portait à la
ceinture.

Jérémias ne voulut pas refuser, mais il pensa
tout bas que, si ces exigences continuaient, ils
n'auraient bientôt plus besoin de bœufs pour
transporter leurs bagages.

Il lui fallut considérer cela comme un fait
isolé et un véritable caprice; il donna donc la
hachette et reçut en échange une défense
d'éléphant.

— C'est donner un œuf pour avoir un bœuf!
murmura-t-il comme pour se consoler de la
perte de sa hachette, à laquelle il tenait beaucoup.

Les tentes furent donc levées — car ils avaient substitué des tentes volantes aux huttes que leur bâtissaient les nègres, — Maclean s'étant chargé de les confectionner avec de la toile qu'ils possédaient — et ils reprient leur route avec tout autant d'enthousiasme qu'au premier départ. Ils ne savaient où ils allaient, la solitude immense s'ouvrait devant eux avec ses émotions de chaque jour; ils étaient quatre bien armés, sans compter les nègres de la suite, qu'avaient-ils à craindre?

Personne ne parlait encore de retour, et le seul regard que souvent ils jetaient en arrière dans la foule des souvenirs s'adressait au Portugais Garcias, dont la malheureuse histoire avait intéressé ces cœurs sympathiques aux douleurs d'autrui.

X — La Source aux Hyènes.

En remontant la chaîne de montagnes qui couvrait un des côtés de la vallée, nos amis rencontrèrent une petite rivière de peu de largeur, mais admirablement ombragée par des palmiers, des bananiers, des acacias et des oliviers sauvages, séparés dans les endroits abrités par des mimosas.

Une eau claire et transparente courait en murmurant au milieu des plantes aquatiques qui des deux côtés bordaient la rive, et le coup d'œil eût été enchanteur si l'on n'avait vu parfois apparaître à la surface la tête plate d'un alligator, qui disparaissait aussitôt en s'entourant d'une large tache jaune que produisait la vase du fond.

Des oiseaux de toutes couleurs voletaient dans les bouquets d'ébéniers; sur le bord de l'eau, des hérons blancs se tenant gravement sur une patte, l'autre repliée sous les plumes, plongeaient de temps en temps leur long bec dans la rivière pour y saisir le menu poisson à son passage, pendant que plus loin des pélicans plus gloutons absorbaient avec voracité la proie que leur activité leur avait fournie.

Cette animation naturelle touchait réellement, et l'on eût voulu pouvoir toujours vivre dans cette solitude, où les animaux eux-mêmes semblaient ne pas s'effrayer de la présence d'êtres inconnus.

Malgré l'attrait du paysage, nos amis s'éloignèrent du cours d'eau et gagnèrent le large; car ils se souvenaient des inconvénients que le séjour sur les bords du Zambèse leur avait procurés, et ils se promettaient bien de ne pas se mettre dans le même cas.

Jérémias fit préparer le dîner; chacun était également possédé du bon appétit que donne un violent exercice, on allait *se mettre à table*, comme disait Georges, lorsque l'on s'aperçut que la provision d'eau potable était épuisée, et que pour s'en procurer il fallait aller jusqu'à la rivière, encore distante de près de deux milles. La brume du soir commençait à tomber et le docteur ne jugeait pas bien prudent d'y envoyer.

Sans en rien dire, il se mit en quête, et revint bientôt annoncer à ses amis qu'il avait découvert à un demi-mille de là une source charmante qui leur fournirait d'excellents rafraîchissements, et dont la situation promettait un heureux emplacement de bivouac.

L'on plia donc bagage pour s'y transporter, mais lorsqu'on voulut faire lever un des bœufs accroupi sur les genoux, il s'y refusa obstinément, et aux premiers coups d'aiguillon fit un effort désespéré qui le rejeta lourdement sur le flanc.

Il ne se releva plus, il était mort, et, au milieu de l'étonnement général, Jérémias s'approcha pour essayer de connaître le genre de maladie qui les privait aussi subitement d'un utile serviteur.

Il remarqua alors sur le corps de l'animal

de nombreuses taches d'un brun rougeâtre, qu'il reconnut tout de suite pour les morsures de la *tsetsé*. Jusqu'alors les noirs ne s'étaient pas aperçus de la présence de cette mouche venimeuse, dont la morsure est mortelle pour les bœufs et les chevaux.

Il n'y avait rien à faire, la bête était morte, bien morte, et le docteur ne s'inquiéta que de s'assurer à l'instant même si les autres bœufs avaient été piqués.

De même que leur infortuné compagnon, ils avaient été atteints de quelques piqûres, mais le mal n'était pas encore bien grand, et il y avait lieu d'espérer qu'ils s'en retireraient avec plus d'avantage. Pourtant ils avaient l'air assez abattu.

Le corps de la bête ne pouvait servir à rien, il fut donc abandonné là, et nos amis se dirigèrent vers la source, bienheureuse découverte du docteur.

Au milieu d'un site admirablement boisé, un filet d'eau claire s'échappait d'une fissure de rocher, venait retomber en frémissant dans un bassin naturel formé par une belle pierre grise, et de là disparaissait au milieu des herbes qui semblaient le boire avec amour.

La nuit était tout à fait tombée, nos amis se réunissaient selon l'habitude autour de leur feu, quand des hurlements rapprochés se firent entendre dans la direction du lieu qu'ils venaient de quitter.

Ils prêtèrent aussitôt l'oreille.

Dick quitta son maître, aux pieds duquel il était couché, pour se porter en avant en aboyant avec fureur.

— La paix !..... Dick, fit Maclean s'efforçant de le retenir.

— Qu'est-ce là ? demanda Georges.

— Des hyènes, sans doute, qui ont senti le cadavre de notre bœuf, et qui accourent à la curée, répondit le docteur. Mais que nous importe, pourvu que les hurlements ne nous empêchent pas de reposer.

— Elles s'en donnent à cœur joie, fit Wilson, et s'en iront lorsqu'elles seront repues.

— Hum !..... je crois qu'elles viendront de notre côté lorsque le festin sera terminé là-bas, si notre feu venait à s'éteindre.

Comme pour donner moins de force à l'observation de Maclean, le docteur jeta une bonne brassée de bois dans le feu, qui reprit avec une flamme plus vive.

— Un coup de carabine nous en débarrassera et mettra en fuite le reste de la bande, répliqua-t-il.

Nos amis ne se préoccupèrent point davan-

tage de cette interruption inattendue, et, avant
de se rouler dans leurs couvertures, prirent la
précaution d'attacher Dick au milieu d'eux pour
l'empêcher ainsi d'aller chercher noise à ces
nocturnes visiteurs.

Malgré tout, Georges et Wilson ne purent s'endormir.

Ils tâtaient de temps en temps la crosse de
leurs carabines, possédés qu'ils étaient d'une
furieuse démangeaison d'aller à la rencontre
de ces gênants et de les contraindre à s'éloigner.

Les hurlements se rapprochaient sensiblement, et au moment où Maclean se soulevait
sur un coude pour jeter un regard autour de lui,
il entendit derrière le rire sinistre d'une hyène.

Se relever, armer sa carabine ne fut pour lui
que l'espace d'un éclair, mais aux alentours le
bois était fort sombre, et la clarté vacillante
du feu ne permettait pas de juger raisonnable-
ment le nombre d'ennemis et la place qu'ils
occupaient.

Après quelques minutes d'attente, le rire ne
se renouvela pas. Maclean, rassuré, se laissa
aller à se rouler dans sa couverture et se disposa de nouveau au sommeil.

Il s'endormit en effet, mais ce ne fut pas pour
longtemps, car il fut bientôt réveillé en sursaut
par les appels désespérés de Dick, qui aboyait

comme un possédé en tirant sa chaîne, et les beuglements de terreur des bœufs attachés à quelque distance du bivouac.

En un clin d'œil, tous nos compagnons furent debout.

Selon son habitude, Jérémias recommanda la prudence et ils s'avancèrent avec précaution vers l'endroit d'où partaient les beuglements plaintifs des bœufs et les hurlements des hyènes.

Lorsqu'ils furent à portée, ils aperçurent un des bœufs couché sur le flanc, et trois ou quatre hyènes qui se montraient les dents en se disputant à qui mieux mieux son corps en partie dévoré.

Elles grognaient, se jetaient des regards fauves et semblaient se préparer à une lutte d'où les vainqueurs pourraient se rassasier à leur aise de la chair chaude et encore fumante de l'animal.

— Je croyais avoir entendu dire que les hyènes n'attaquaient jamais un animal vivant, dit tout bas Georges à l'oreille du docteur.

— Oui, ordinairement il en est ainsi, répondit Jérémias sur le même ton ; la hyène n'est pas assez courageuse pour attaquer un animal qui se défendrait avec plus ou moins d'énergie selon la mesure de ses forces. Mais notre bœuf avait subi le sort de son compagnon.

C'est une victime de plus à compter à la *tsetsé*, qui, si cela continue, nous fera bien du mal.

Les autres bœufs, affolés de terreur, secouaient à les rompre les attaches qui les retenaient aux arbres, et frappaient furieusement du sabot sur le sol en renâclant avec force.

Il y avait à craindre qu'ils ne brisassent leurs liens et qu'ils ne prissent leur course dans les bois, où, vu l'état de surexcitation dans lequel ils étaient, il aurait été fort difficile de les retrouver et de s'en emparer.

Les noirs n'avaient pas bougé. Ils étaient là étendus autour du feu, dont on n'apercevait plus qu'une vague lueur. Ils étaient trop habitués aux scènes de ce genre pour se priver d'une seule minute d'un repos si nécessaire à la fatigue du jour.

Jérémias commanda une décharge générale en priant Maclean et Wilson de courir aussitôt après vers les bœufs pour les empêcher de s'enfuir, s'ils semblaient par trop effrayés de la détonation des carabines.

Le docteur se glissa en avant dans un amas de broussailles sèches et s'avança à pas de loup vers le théâtre du festin.

La lune se levait en ce moment, et éclairait

faiblement cette scène, qui, avec le paysage pour cadre, ne manquait pas de pittoresque et d'horreur.

Lorsque nos amis furent à portée, ils déchargèrent à la fois les quatre coups de leurs carabines.

Ils avaient porté, car, à deux reprises différentes, des cris de rage et de douleur succédèrent à la décharge.

Les hyènes abandonnèrent leur proie; une seule, moins effrayée peut-être, dressa les oreilles et sembla interroger l'obscurité, tout en maintenant une de ses pattes noires sur le cadavre, dont la carcasse apparaissait déjà à certains endroits.

Maclean tira sur elle un coup de carabine qui ne l'atteignit que légèrement.

L'obscurité était profonde malgré les rayons blafards de la lune à demi voilée, et c'était à peine si nos amis distinguaient le point de mire des armes.

La hyène bondit de rage en montrant de longs crocs qui se croisèrent sur ses lèvres ensanglantées, et s'élança au milieu du fourré dans la direction de Jérémias et de Wilson.

En deux bonds elle fut près d'eux et s'arrêta indécise en face de ces deux silhouettes qui se dressaient aussi inopinément devant elle.

Son œil sanglant brilla d'un fauve et phosphorique éclat, et un grognement sourd se fit entendre dans sa gorge.

— Il faut en finir, dit Jérémias, nous ne pouvons rester ainsi toute la nuit. Débarrassons-nous au plus vite de cette particulière, qui a l'air plus décidé que les autres.

Comme il levait sa carabine pour l'épauler, la gâchette mal assurée céda, le coup partit dans les broussailles, et Wilson, qui semblait n'attendre que ce signal, tira en même temps et manqua la bête.

Celle-ci fit un mouvement en arrière et sembla vouloir revenir sur ses pas.

Mais derrière étaient Maclean et Georges, qui ne savaient au juste où se trouvaient leurs compagnons, perdus qu'ils étaient dans l'ombre du feuillage. L'éclat des coups de carabines les leur avait bien montrés un instant, mais tout était aussitôt retombé dans l'obscurité.

Jérémias entendit le bruit sec des chiens que l'on armait, et Wilson qui lui tenait le bras en ce moment, le sentit violemment tressaillir.

— Au nom du ciel! ne tirez pas..... s'écria Jérémias, vous allez nous envoyer toutes vos balles.

Les deux amis reculèrent épouvantés à la

seule idée du malheur qui eût pu arriver s'ils avaient tiré une minute plus tôt.

Jérémias et Wilson ne pouvaient reculer; ils étaient adossés à un bouquet d'aloès épineux, qui leur barrait le passage, et le seul chemin praticable était occupé par la hyène, qui semblait se tapir et regarder avec inquiétude autour d'elle de quel côté elle pourrait s'échapper.

— Avançons bravement, fit Wilson, la bête est peureuse et nous cèdera le passage. Dans le cas contraire, en la tirant de près, nous avons moins de chance de la manquer.

Nos deux amis marchaient donc en avant, la carabine au poing, quand survint un nouvel auxiliaire dont l'appui n'était pas à dédaigner.

C'était Dick, qui, s'ennuyant d'être attaché et sentant l'odeur de la poudre, venait demander sa part de combat et sautait bravement sur le dos de la hyène, en lui enfonçant ses crocs dans le cou.

La bête poussa un nouveau hurlement de douleur et voulut se retourner pour combattre et saisir cet adversaire inopportun.

Mais Dick était solide; il tenait bon et n'entendait pas lâcher prise de sitôt. Il en prenait à son aise, sans paraître prendre garde aux efforts désespérés de la hyène pour se retourner vers lui.

Maclean tenait énormémement à son chien, et quoique le sachant brave et vigoureux, il ne pouvait s'empêcher de craindre pour lui l'issue de la lutte ; et les combattants se tenaient si étroitement serrés, qu'ils ne formaient pour ainsi dire qu'une seule masse d'où sortaient des plaintes rageuses et des aboiements forcenés.

Le moyen de tirer là-dedans sans risquer de tuer la brave bête qui venait d'elle-même au secours de ses maîtres, qu'elle pensait en danger !.....

Cependant Wilson s'avança en rampant à travers les acacias, et, peu soucieux des épines qui lui déchiraient les mains et le visage, il parvint à un coin du fourré d'où chaque minute rapprochait les combattants.

Maclean avait suivi Wilson, et se tenait à côté de lui.

Après une lutte désespérée, la hyène vaincue roula à terre, et, dans un effort désespéré, allait saisir au cou le brave Dick, lorsque Maclean, sans perdre de temps, lui envoya une balle à bout portant.

Le plomb brisa le crâne de l'animal et fit jaillir la cervelle tout alentour.

Dick épouvanté du fracas de cette détonation rapprochée, recula et se mit en devoir de panser ses blessures, que Maclean pensa être sans gravité.

Puis la brave bête vint se présenter à ses caresses. Elle savait ou plutôt devinait qu'elle avait désobéi en rompant sa chaîne, et elle n'osait avancer qu'en s'accroupissant et s'arrêtant à chaque pas.

Maclean, fort bien disposé, ne vit pas matière à correction dans cet acte de bravoure, et lui rendit doucement ses caresses, lorsqu'elle fut couchée à ses pieds.

Sur ces entrefaites, le docteur, qui avait fait le tour du fourré, vint rejoindre les amis.

La première émotion passée, ils furent obligés de reconnaître que c'était encore une bête de somme fort utile qui leur manquait, et que, si les attaques de la *tsetsé* continuaient, ils couraient fort le risque de marcher continuellement à pied, le bagage sur le dos, perspective peu agréable.

Malgré le flegme qu'il cherchait à montrer, on voyait chez Wilson un commencement d'alarme, et Maclean maudissait sincèrement ces moyens de transport indispensables à la marche.

— Parlez-moi, disait-il, d'un bon navire, qui le plus souvent va seul sans que l'on ait besoin de s'en occuper. Tout est arrimé dans la cale et ne se dérange pas à chaque instant. Vilaine promenade que celle où une méchante mouche

peut vous obliger à abandonner tous vos bagages!.....

— Peuh! répliqua le docteur sur un petit ton
aigre-doux, et les naufrages, le mauvais temps,
les avaries?..... Tu traites la chose du beau
côté, Maclean.

— Nullement, mais je préfère les planches
solides d'un pont à toutes tes prairies, tes montagnes, où l'on ne rencontre que moustiques,
maringouins, serpents, hyènes..... etc... etc.....
Que sais-je, moi? L'on ne peut deviner où cela
peut s'arrêter!.....

Les hyènes, contrariées du charmant accueil
qu'elles avaient reçu, et des coups de fusil qui
avaient dérangé leur festin, ne semblaient pas
disposées à reparaître; nos amis attachèrent
plus solidement encore les bœufs survivants,
et regagnèrent leurs lits.

Le ciel se découvrait peu à peu, les nuages
blanchâtres couraient poussés par une brise
fraîche et piquante, et laissaient à découvert
un azur sombre où se montraient quelques
étoiles.

Le silence était retombé dans toute sa profondeur, à peine si quelques bruissements se
faisaient entendre dans l'herbe et dans le feuillage, et cette tranquillité même présentait un
contraste si frappant avec les bruits de la lutte

passée, que les voyageurs semblaient ne point
vouloir croire à l'absence de l'ennemi.

Quelques sourds grognements de Dick et des
glapissements aigus et prolongés confirmèrent
bientôt ce doute.

Wilson sautait déjà sur sa carabine avec un
geste énergique de furieux désappointement,
quand le docteur l'arrêta.

— Nous n'avons pas à nous inquiéter, fit-il,
ce sont des chacals. Ils suivent toujours les
hyènes, parce qu'ils profitent des rogatons de la
table, lorsque cette dernière est repue. Le feu
suffira sans doute pour les épouvanter et les
faire battre en retraite.

Une bande de chacals affamés s'abattit sur
les restes du bœuf déjà à moitié dévoré par les
hyènes, et, en dépit de la prophétie du docteur,
ils glapirent aux oreilles de nos amis un étrange
concert composé de variantes assez agaçantes
de colère ou de plaisir.

Le matin les mit en fuite, et ils s'éloignèrent
en laissant à la place de l'animal une carcasse
parfaitement nettoyée, travail que n'eût peut-
être pu aussi bien réussir un habile anato-
miste.

Les trois bœufs qui restaient reçurent en
surcroît la charge de leurs compagnons tombés
au champ d'honneur, et il fut décidé que pour

les ménager, les noirs porteraient eux-mêmes une partie des bagages.

Georges et le docteur s'étant un peu avancés, aperçurent dans la journée un éléphant femelle et son petit se vautrant de compagnie dans la vase, au bord de la rivière.

Georges eût bien voulu les tirer, mais le docteur lui fit observer que c'était là une mort inutile, puisque le corps ne saurait leur être d'aucun secours et qu'ils n'en retireraient que les défenses ; et il dirigea ses vues d'un autre côté.

Bien lui en prit, car les éléphants sentant le voisinage de l'homme, se dirigèrent vers l'autre extrémité de la vallée, où il aurait été bien fou de chercher à les atteindre.

Ils en aperçurent encore trois ou quatre, qui, imitant les premiers, détalèrent au petit trot, non sans jeter derrière eux un regard d'inquiétude.

XI. — L'Éleveur d'Autruches.

Dans le creux d'un petit vallon abrité par deux collines, ou plutôt par deux masses admirables de verdure dont l'égalité n'était détruite que par la tête des palmiers surplombant de leur feuillage vert le niveau des arbrisseaux, nos amis retrouvèrent des ossements semblant avoir appartenu à des animaux de forte taille, que le docteur assura être des éléphants.

Quelques défenses que l'on rencontra plus loin ne laissèrent plus aucun doute à cet égard. Jérémias apprit alors à ses compagnons que l'on prêtait aux éléphants l'usage d'avoir tout comme nous leurs cimetières, où ils allaient mourir.

— Ce n'est pas prouvé, si vous le voulez, ajouta-t-il, mais pourquoi refuser à une brute cette intelligence primitive?..... Dieu a donné l'intelligence à chacun en proportion de ses besoins, et nous trouvons parfois des brutes, — puisque l'on est convenu de les appeler ainsi, — des brutes de beaucoup plus raisonnables que certains d'entre nous.

— Certes, fit Georges, vous avez bien parlé, docteur.

— Je crois, et ne crois pas aux cimetières d'éléphants, dit Maclean.

Wilson voulait emporter les défenses qui se trouvaient sur le sol, mais le docteur et ses compagnons l'en détournèrent, en lui représentant que leur suite se trouvait déjà sensiblement diminuée, et qu'il était peu utile de se charger

d'un surcroît de bagages que l'on serait peut-
être contraint d'abandonner ensuite.

Wilson s'y résigna non sans avoir jeté un
dernier coup d'œil de convoitise sur ces magni-
fiques débris, qui, dans cette solitude, semblent
vouloir prouver encore une fois qu'ici-bas
tout est mortel.

La chaleur augmenta avec la journée; les
rayons du soleil, qui, en certains endroits dé-
pourvus d'ombre, tombaient sur le dos des
voyageurs comme autant de lames de plomb
brûlant, menaçaient de devenir intolérables, et
Wilson exténué proposa une halte qui fut
acceptée à l'unanimité, proposition et accep-
tation qui amenèrent sur les lèvres de Jérémias
son petit sourire habituel.

Un bouquet de palmiers et de dattiers sauvages sembla par son épaisseur offrir un abri
meilleur, où nos voyageurs se laissèrent aller
sur le gazon uni qui formait entre les arbres un
tapis des plus soyeux.

— A quoi penses-tu..... Jérémias? lui dit
Maclean en le voyant gravement assis, les yeux
fixés sur un arbre qu'il ne regardait pas.

— A dîner, répondit le docteur; je serais fort
aise de manger une bonne tranche de n'importe
quoi, pourvu que ce soit de la viande fraîche;
cela fait diversion.

Il est probable qu'il prononça ces paroles d'un ton de préoccupation assez comique, car les amis se prirent à rire si fort, que Wilson, qui commençait à sommeiller, se leva sur son séant et demanda ce qu'il y avait.

Jérémias se leva, prit sa carabine en bandoulière, et, après avoir chargé l'un des canons avec de menu plomb et glissé dans l'autre une chevrotine, il se disposa à s'éloigner.

— Où vas-tu? lui cria Maclean au moment où il allait disparaître derrière les arbres.

— Je ne sais..... chercher à dîner !

— Attends-moi, je te suis.

Maclean prit à son tour sa carabine, et suivi de près par Dick qui s'était relevé en voyant partir son maître, il se mit à courir pour rattraper le docteur.

Après avoir perdu leur poudre en la jetant non pas aux moineaux, mais à de petits perroquets à huppe jaune qui voletaient dans les basses branches, ils s'enfoncèrent sous bois en ayant soin de suivre toujours une direction parallèle à un petit ruisseau qui courait sous l'herbe et passait à peu de distance du lieu de halte où était resté le reste de la troupe.

— Cherche, Dick !..... mon bon chien !..... disait sans cesse le docteur.

— Tu n'as pas besoin de tant le lui dire, fit

Maclean avec un peu d'impatience, tu vois bien qu'il ne fait que cela.

En effet, Dick, le nez sur le sol, furetait partout, suivait une piste, la laissait, s'égarait, en reprenait une autre, et ne faisait rien détaler des buissons.

Soudain, attiré comme par une force invisible, il partit comme une flèche, et ne reparut plus, malgré les appels réitérés de Maclean.

Ils entendirent bientôt des aboiements étouffés, forçant quelquefois, sans doute lorsque le chien sortait du fourré pour rentrer en plaine.

— De cette fois, il chasse, fit Wilson.

Soudain ils s'arrêtèrent tous deux.

— Eh bien?..... fit Jérémias sur le ton interrogatif.

— Eh mais! répondit Maclean, il me semble avoir entendu une détonation éloignée ayant assez de ressemblance avec celle d'une arme à feu.

— Moi aussi. Mais nous nous sommes sans doute trompés, on n'entend plus rien.

Ils allaient avouer leur erreur, quand une détonation plus rapprochée cette fois troubla le silence de la forêt, et fut renvoyée comme un roulement d'écho en écho.

— Impossible de s'y tromper! fit Jérémias, qui donc?.....

Il n'acheva pas.....

Les branches s'écartèrent violemment à une vingtaine de pas devant eux pour livrer passage à une charmante antilope que les aboiements de Dick poursuivaient d'assez près.

— Hourra!..... s'écria le docteur en épaulant.

— A toi, Maclean, si je venais à la manquer. Voilà notre dîner !

La gentille bête, toute surprise de se trouver aussi inopinément en présence de deux enne- mis, s'était arrêtée court et semblait chercher un passage pour s'enfuir au plus vite. Ses yeux noirs semblaient interroger les chasseurs avec anxiété.

A considérer ce joli animal si gracieusement campé sur ses jambes fines et déliées, étalant ainsi sa robe d'un fauve lustré qui reluisait au soleil, le docteur eut comme un remords.

— C'est dommage ! fit-il.

Mais le dîner lui revint à l'esprit, et il lâcha la détente de sa carabine après avoir visé à l'épaule.

L'antilope tournoya sur elle-même et tomba en battant le sol de ses pieds convulsivement agités.

— Beau coup ! Monsieur, s'écria une voix in- connue.

Le docteur et Maclean se retournèrent aussi-

tôt, et aperçurent derrière eux l'auteur de cette
exclamation inattendue.

C'était un homme d'un certain âge, aux cheveux grisonnants, et dont les habits sentaient
tout aussi bien un chasseur de profession qu'un
parfait gentleman. Ses vêtements de chasse,
irréprochablement taillés à la mode anglaise,
n'attestaient pas un long usage ; un chapeau de
feutre orné d'une plume d'autruche jetait un
peu d'ombre sur son visage, qui par son ensemble respirait un bon et loyal caractère. Il
portait sur le dos une petite valise de cuir jaune
fermée par des courroies, et il s'appuyait sur
une longue carabine à double canon.

Il salua poliment les deux amis assez surpris,
et, s'adressant au docteur :

— Vous avez été plus heureux que moi, Monsieur, je suis arrivé trop tard sur le passage de
la bête et je l'ai bien maladroitement manquée.
Vous avez un fameux chien, Monsieur.

Et en même temps, il caressait de la main
Dick, qui venait de rejoindre le trio, et qui
aboyait encore devant la bête étendue sur le
sol.

Le docteur, revenu de la première surprise,
remercia l'inconnu de ses éloges, et sembla ou
plutôt essaya de regretter qu'il ne se fût pas
trouvé à temps.

Puis, avec le sans-gêne qu'autorisait une
pareille rencontre en cette solitude :

— Monsieur, lui dit-il, votre rencontre ne
saurait nous être désagréable, et ne serait-ce
pas trop d'indiscrétion que de vous prier de
nous dire comment il se fait que nous trouvions
un compagnon dans un lieu où nous pensions
être les seuls Européens.

— Votre curiosité est naturelle et facile à
satisfaire. Je me ferai un plaisir de vous répondre, mais occupons-nous d'abord de la bête,
qu'il faut dépouiller pour la conserver en bon
état.

Aidés par lui, Maclean et Jérémias enlevèrent
la peau de l'antilope, et, à l'aide de leurs couteaux de chasse, ils découpèrent le corps par
quartiers afin de pouvoir l'emporter plus com-
modément.

Les entrailles furent laissées à Dick, qui se
contenta d'y donner quelques petits coups de
dents dédaigneux, et les abandonna ensuite aux
hyènes et aux chacals.

L'inconnu s'étant alors éloigné de quelques
pas, Maclean en profita pour parler bas à Jérémias qui l'écouta en souriant.

— Qu'en penses-tu ?

— Je ne suis pas de ton avis.

— Il est toujours bon d'être défiant.

Ce fut tout.

Jérémias apprit à l'inconnu qu'ils avaient établi non loin de là leur campement, où ils avaient laissé deux amis, et lui demanda de leur faire l'honneur de les suivre et partager leur souper.

— J'accepte de grand cœur, répondit-il. Ce sera là le moyen de faire plus ample connaissance.

Georges et Wilson firent un excellent accueil à l'antilope, dont une cuisse fut immédiatement embrochée et mise à rôtir.

Le dîner fut silencieux. L'on semblait en attendre la fin pour se dérider et laisser à la conversation le champ libre. Lorsque l'inconnu vit mettre les bouilloires sur le feu pour faire le thé, — complément obligé de chaque repas, il prit à son côté une gourde d'une assez grande capacité.

— Messieurs, dit-il, permettez-moi de vous offrir une liqueur qui vous amènera peut-être quelques souvenirs, et sur laquelle vous me donnerez votre avis.

En même temps il leur versait une liqueur légèrement dorée qui se prit à mousser comme du vin de Champagne, dont elle avait emprunté un peu de goût.

— Délicieux! répondirent les convives en

faisant claquer avec ensemble la langue contre le palais.

— Je crois avoir deviné d'où cela provient, fit doucement Jérémias en désignant un arbre voisin.

— Justement, répondit l'inconnu, La liquenr que vous venez de boire est formée par la sève du palmyra.

— Ceux-ci en fournissent-ils? demanda Georges en désignant les palmiers environnants.

— Pas tous, répondit Jérémias, c'est principalement le genre palmyra, le véritable *borassus flagelliformis* des naturalistes.

L'inconnu regarda Jérémias.

— Messieurs, fit-il après un moment de silence, nous n'avons pas l'honneur de nous connaître, mais si vous le voulez, la présentation sera bientôt faite.

— Certes oui, fit Wilson, qui flairait évidemment là un compatriote, quoique l'inconnu s'exprimât très-facilement en français.

En une minute il déclina les noms de ses compagnons et le sien, lui raconta comment ils avaient quitté l'Europe et fait la rencontre du docteur au cap de Bonne-Espérance.

— J'ai déjà eu l'honneur d'entendre parler du docteur Jérémias Klauschen, reprit l'inconnu, mais je n'avais pas le plaisir de le connaître. Je suis fort heureux de votre rencontre, Messieurs.

— Je me nomme John Branth, ce qui vous indique que je suis Anglais ; je ne suis pas, comme vous, Messieurs, venu en Afrique pour chercher des distractions, mais bien pour y négocier un article assez rare, il y a quelques années, et qui tend fort à se répandre aujourd'hui.

Maclean poussa du coude Jérémias, qui, comme s'il eût craint que leur interlocuteur ne surprît ces mouvements, lui fit signe d'un regard de ne pas recommencer.

— Mon industrie, Messieurs, est peut-être d'un genre assez singulier, cela dépendra comme vous voudrez le prendre. Je ne suis cependant pas le seul à m'y livrer, et le docteur Klauschen, qui habite, je crois, la ville du Cap, a dû en entendre parler..... Je suis éleveur d'autruches.....

Wilson et Georges essayèrent de retenir un mouvement de surprise. Jérémias regarda Maclean dans le blanc des yeux en accompagnant cette muette interrogation d'un regard passablement railleur.

— Je vais vous apprendre comment il se fait que je suis ce que je viens de vous dire, continua John Branth en remarquant l'étonnement de ses interlocuteurs.

La plume d'autruche est employée un peu

partout maintenant, peut-être plus par luxe
que par nécessité; il n'est pas douteux qu'elle
arrive un jour à se poser comme une des branches les plus importantes du commerce de
l'Afrique australe, du reste elle est en voie de
le devenir.

Pendant longtemps l'industrie fut obligée de se
contenter des produits que lui livraient les
indigènes, et par conséquent de subordonner la
vente aux chances plus ou moins favorables
de la chasse. De plus, il devait arriver un moment où l'autruche, se voyant chassée sans pitié,
ne deviendrait plus abordable et s'enfuirait
vers les contrées désertes où il était impossible
de l'y poursuivre.

— Nous en sommes à peu près là aujourd'hui.

— Précisément, docteur. La destruction menaçait, en continuant davantage, de ne laisser
survivre que quelques membres de cette race,
et il a fallu chercher et trouver un moyen d'ob-
vier à un si grave inconvénient.

Le problème a été résolu. L'on s'est emparé
de plusieurs jeunes autruches que l'on s'est
efforcé d'assouplir à la domesticité. Sur ce premier point, le résultat a été merveilleux. Ces
autruches, enfermées dans des enclos, vivant
pour ainsi dire en liberté, se sont multipliées
et nous fournissent aujourd'hui les plumes

qu'autrefois il était si difficile de se procurer. Il est bon de vous dire toutefois que la plume de l'autruche privée n'a ni le brillant ni la valeur de celle de l'oiseau libre; mais qu'importe, puisque d'un autre côté le but est parfaitement atteint.

— Et donne-t-il de riches résultats à l'heure présente? demanda Georges.

— Voici un exemple qui suffira, je pense, pour vous donner une idée exacte de la reproduction.

En 1865, on ne possédait à la colonie du Cap que quatre-vingts autruches apprivoisées, en 1869 on chiffrait déjà leur nombre au-dessus de mille, et aujourd'hui l'on peut dire sans exagération qu'il s'est porté à vingt-cinq mille environ.

— C'est inouï! fit Maclean.

— C'est réel! ajouta Jérémias, mais sir John a peut-être connaissance du nouveau procédé employé pour l'éclosion des œufs.

— Procédé en exécution, monsieur le docteur, et qui réussit pleinement. L'incubation artificielle est définitivement adoptée. On soumet les œufs à une chaleur douce et égale à celle dont l'oiseau peut disposer, ce qui amène l'éclosion des petites autruches sans donner grand tracas.

Puis la conversation se porta sur d'autres sujets assez variés, traitant tout le pays sous le ciel duquel ils vivaient, et John Branth fit une remarque.

— Ce qui m'a fort étonné, Messieurs, dit-il, c'est de vous avoir ainsi rencontrés avec aussi peu d'escorte, car dans cette contrée nos compatriotes ne voyagent guère sans se faire accompagner d'une vingtaine d'hommes capables de les défendre au besoin. L'Afrique n'est pas, comme la Suisse, un pays que l'on parcourt en touriste, il est bon d'y être bien gardé.

— Mais vous cependant, hasarda Georges.

John Branth eut un sourire sur les lèvres.

— Moi, fit-il avec assez d'indifférence, je ne suis pas dans le même cas. Je suis ici, dans la forêt et dans la plaine, tout aussi en sûreté que vous le seriez chez vous, dans un confortable appartement de Regent-Street.

J'ai quelques connaissances indigènes, et pour le moment j'ai mon gîte chez un petit chef des environs, avec lequel j'entretiens d'excellentes relations, malgré la différence du caractère européen et du caractère africain.

— Et serait-il indiscret de vous demander si vous faites souvent des excursions de cette sorte?

— Assez rarement, répondit John, je n'ai plus

l'impétuosité des vingt ans. Je ne suis venu jusqu'ici que pour assister à une grande chasse que préparent les indigènes de ce kraal.

— Ah !..... firent curieusement ses auditeurs.

— Peut-être ne vous serait-il pas désagréable d'y assister ; en ce cas, je ne vous enverrai pas de cartes d'invitation, ajouta-t-il en souriant, je vous invite tout bonnement. Vous accepterez ou refuserez.

— Nous acceptons de grand cœur et vous remercions, répondirent les amis, chez qui le sentiment de curiosité était piqué au vif.

— Là-dessus, Messieurs, conclut John Branth, puisque c'est une affaire entendue, il n'y a pas à y revenir. Une dernière tasse de thé, un dernier cigare, et préparons-nous au repos.

XII. — La Chasse à l'Antilope.

Le lendemain, à l'aurore, nos voyageurs furent réveillés par John, qui, déjà tout équipé et prêt à partir, achevait de fumer un cigare qu'il avait abandonné la veille pour s'envelopper plus tôt dans ses couvertures.

Il gourmandait les indigènes, qui faisaient quelques façons pour s'arracher au sommeil et se plaignaient à grands cris de la fraîcheur de la température.

En effet, la nuit avait été froide, ce dont nos amis purent s'apercevoir en se sentant les jambes engourdies malgré les épaisses couvertures dont ils étaient enveloppés.

En attendant ses nouveaux amis, qui se préparaient au départ et faisaient bouillir l'eau pour prendre le thé, John, tranquillement appuyé au tronc d'un euphorbe, assistait au lever du soleil, qui, enveloppé d'un manteau de brume, ne faisait qu'apparaître derrière le sommet des collines qu'il semblait saupoudrer d'une poussière d'or. Tout s'éveillait : les perroquets à huppe jaune voletaient en caquetant, les alouettes à tête noire s'élevaient des hautes herbes, et s'élançaient au-dessus de la cime des palmiers et des euphorbes, rasant dans leur vol la noire silhouette d'un singe à face blanche qui grimaçait en sautant dans les branches, un lièvre au poil roux sortait précipitamment du fourré pour y rentrer aussitôt, et les cris de mille animaux divers formaient un concert charmant par sa discordance même, et qui ne tendait qu'à saluer le retour du nouveau jour.

Il fut convenu que nos amis emmèneraient à leur suite les bœufs et les bagages, qu'il ne

serait pas prudent de confier à la garde des indigènes ; ceux-ci pouvant bien en profiter pour
se saisir des objets à leur convenance, les emporter et s'enfuir pour ne plus reparaître

Le thé bouillant fut avalé à la hâte, et la cara-
vane se mit en marche.

La bourgade amie n'était éloignée que de
quelques milles ; cette distance fut bientôt
franchie, et, avant que le soleil eût pris par
trop de force, nos amis arrivaient en face d'une
vingtaine de huttes, devant lesquelles étaient
des groupes d'indigènes nonchalamment assis
ou couchés au pied des palmiers.

Quelques femmes, la houe à la main et quel-
ques-unes portant des enfants sur le dos, s'a-
cheminaient aux champs, où l'on cultive le blé
et le tabac, les deux choses essentiellement
nécessaires à la vie, selon la façon de penser des
indigènes.

Quant aux hommes, ils ne semblaient pas
disposés à imiter ces malheureuses, pour qui le
mariage n'est guère moins pénible que la ser-
vitude, et ces messieurs passaient leur temps
à s'enivrer de bière de maïs, sorte de boisson
fermentée dont ils font le plus grand usage, ou
plutôt le plus grand abus.

En certaines parties de l'Afrique, l'ivrognerie
est arrivée à son apogée, et abâtardit cette mal-

heureuse race au lieu de la retirer de l'état d'ignorance dans laquelle elle est plongée.

Du peu de civilisation que les Européens ont essayé d'introduire dans le pays, les habitants n'ont pris que les plus mauvaises habitudes et ont méprisé le reste, comme du superflu.

Il existe cependant quelques exceptions que l'on est heureux de trouver confirmées chez des hommes placés par leur naissance à la tête de leur tribu, mais qui, tout en ne donnant pas l'exemple, ont trop de faiblesse de caractère pour arriver avec le temps à réprimer et à faire cesser ces abus.

Ils n'ont peut-être jamais eu l'idée d'empêcher ces actes regrettables qu'ils considèrent comme une chose fort naturelle, mais que pour une raison ou pour une autre ils se contentent de ne pas pratiquer.

Kyboua — c'était le nom du chef de ce petit kraal — était du nombre de ces hommes.

Il était consciencieux et probe, obligeant et ne détroussant jamais les voyageurs. Il ne s'enivrait pas, mais il le voyait faire chaque jour sous ses yeux sans y trouver d'inconvénients.

John Branth amena ses nouveaux amis jusqu'à la case de Kyboua, qui ne parut nullement surpris de ce surcroît de visiteurs, et donna

ordre qu'on leur apportât du lait et de la bouillie
de maïs.

Lorsque John lui eut appris que Jérémias
était docteur, il s'empressa de le consulter au
sujet d'une affection stomachique dont il souf-
frait depuis longtemps.

En l'absence de tous médicaments pharma-
ceutiques, le brave docteur fit de son mieux
pour ne pas le mécontenter, et lui ordonna des
remèdes indigènes d'une parfaite insignifiance.

Kyboua enchanté leur fit préparer une case
et donna l'ordre de s'occuper des bœufs et des
indigènes de leur suite.

Ces derniers, du reste, fraternisaient déjà avec
les habitants et buvaient de la bière à pleins
pots.

Wilson voulut reconnaître l'amabilité du chef
en lui offrant des couteaux de fabrique anglaise,
quelques rangs de perles rouges, et cinq ou six
mètres de cotonnade, qui furent acceptés de
la manière qu'ils étaient offerts.

Après s'être régalés de deux poulets maigres
que leur avaient offerts les indigènes nos compagnons allèrent s'étendre sous un bouquet de
palmiers d'où l'on découvrait tout ce qui se
passait dans le village. Les indigènes étaient à
la même place, fumant et buvant avec la plus
parfaite indifférence, et, contrairement à l'usage

9

répandu chez les peuplades africaines, semblaient peu se soucier d'aller importuner les voyageurs par leurs demandes parfois assez exigeantes.

Comme Georges faisait remarquer à Jérémias leur petit nombre, John se chargea de la réponse.

— Vous n'en voyez là qu'une partie. Le reste est déjà en chasse pour rabattre le gibier. A vrai dire, ceux-ci constituent la réserve, et n'ont besoin d'agir qu'au dernier moment.

— C'est une chasse extraordinaire, dit Wilson en souriant.

— Voici ce dont il s'agit, répondit John Branth.

Aux endroits fréquentés par le gibier, et surtout au voisinage des cours d'eaux, où il vient se désaltérer, les indigènes construisent ce qu'ils appellent le «hopo. » C'est là que doivent se tenir des hommes armés pour effrayer les pauvres bêtes au moment où elles arrivent, et les tuer ensuite, comme si le hopo n'était pas suffisant.

Les autres indigènes sont partis ce matin en se disposant en cercle sur une étendue proportionnelle à la base du hopo; par leurs cris ils font lever le gibier et reviennent ainsi en se resserrant jusqu'à ce qu'ils aient fermé toutes les issues. Du reste, il faut voir pour comprendre, tout à l'heure vous verrez et vous comprendrez.

Tenez, reprit-il aussitôt en prêtant l'oreille, voici la chasse qui se rapproche, elle ne va pas tarder à arriver.

Des cris poussés sur un étrange diapason se faisaient entendre au lointain et se rapprochaient sensiblement.

Les indigènes restés au village se levèrent après avoir saisi leurs lances et leurs javelines, qu'ils brandissaient au-dessus de leurs têtes, et Kyboua, debout sur le seuil de sa case, fit signe aux voyageurs de venir les rejoindre.

Ils s'empressèrent de se rendre à cet appel, et, précédés des indigènes, qui s'enfonçaient dans les fourrés, ils se dirigèrent vers le rendez-vous de chasse.

Dans une plaine parsemée d'arbres, la première chose qui frappa leurs regards fut deux grandes haies de gazon bâties sur une même ligne parallèle. Ces haies avaient bien cinq ou six cents mètres de longueur et se continuaient dans la même direction parallèle en se rapprochant insensiblement l'une de l'autre jusqu'au sommet de l'angle formé par leurs deux côtés.

Voici du reste la description qu'en donne le docteur Livinsgtone dans un de ses récits de voyage; nous ne croyons pouvoir mieux faire que de laisser la parole à cet illustre voyageur.

« Le « hopo » consiste en deux haies se rapprochant l'une de l'autre comme pour former un V ; très-épaisses et très-hautes au sommet de l'angle qu'elles produisent, au lieu de se rejoindre complètement elles se prolongent en droite ligne de manière à former une allée d'environ cinquante pas de longueur, aboutissant à une fosse qui peut avoir trois ou quatre mètres carrés, et de deux à deux mètres et demi de profondeur. Des troncs d'arbres sont placés en travers sur les bords de cette fosse, principalement sur le côté par où les animaux doivent arriver, et sur celui qui est en face et par où ils cherchent à fuir.

» Ces arbres forment au-dessus de la fosse un rebord avancé qui rend la fuite presque impossible, et le tout est soigneusement recouvert de joncs qui dissimulent le piége et qui le font ressembler à un trébuchet posé dans l'herbe. Les deux haies ont souvent seize cents mètres de longueur, et la base du triangle qu'elles décrivent est à peu près de la même dimension. (1) »

C'était là l'infernale machine indigène qu'ils avaient sous les yeux.

(1) *Explorations dans l'Afrique australe.*

Kyboua voulant traiter ses hôtes avec déférence, les conduisit au sommet de l'angle du hopo, où étaient déjà cachés les hommes armés qui attendaient le gibier. De là ils pouvaient découvrir toute la base du triangle, l'allée, et la fosse elle-même, recouverte d'une perfide verdure qui devait bientôt céder sous les pas des animaux.

On voyait déjà quelques-uns des indigènes qui servaient de rabatteurs, on entendait des cris aigus accompagnés du bruit sec des lances frappant en cadence les javelines, et l'on voulait s'efforcer de deviner un trottinement pressé dans les hautes herbes de la plaine.

Enfin les cris se rapprochèrent plus énergiques, et une magnifique troupe d'antilopes, le mâle en tête, apparut sur le bord du fourré.

Elles s'arrêtèrent indécises ; le mâle jeta un rapide coup d'œil sur le terrain avoisinant, semblant se demander s'il fallait avancer ou reculer.

Reculer n'était guère facile, car les indigènes étaient là, qui les effrayaient par leurs cris ; devant, était le terrain libre circonscrit entre les deux haies du hopo, il n'y avait pas à hésiter : les gracieuses bêtes s'y élancèrent au grand galop.

Ce n'était cependant pas sans quelque inquiétude, car à chaque instant le mâle, qui dirigeait la troupe, s'arrêtait en pointant les oreilles dans la direction de la fosse, comme s'il eût eu conscience du danger qui le menaçait.

C'était un émouvant tableau que de voir ces animaux à peu près tous de la même taille, du même poil, si élégamment faits, courir ainsi au devant de la mort certaine qui les attendait à cent mètres plus loin.

Les jeunes antilopes se réfugiaient instinctivement auprès de leurs mères, dont elles s'efforçaient d'égaler la vitesse, modérément réduite pour leur permettre de les suivre.

Les indigènes avaient complètement resserré leur cercle à la base du hopo, et de ce côté la retraite était coupée. Ils s'avançaient en gesticulant, animés par l'odeur de la chasse, et en lançant quelques javelines qui allaient retomber sur les derrières de la troupe en faisant les premières victimes.

Cachés derrière le sommet du hopo, les autres attendaient toujours que la bande fût à portée pour continuer l'œuvre commencée par les rabatteurs.

Nos amis considéraient attentivement cette scène, sans se laisser voir toutefois, et attendaient avec impatience le moment décisif.

Comme ils étaient porteurs de leurs carabines,

Kyboua les engagea à en faire usage, les prévenant gracieusement que les pièces qu'ils tueraient leur appartiendraient et leur seraient remises. Il leur recommanda seulement d'attendre le signal des indigènes, et de ne tirer qu'en même temps qu'eux.

Les carabines furent donc chargées et prêtes à faire feu.

Les antilopes avançaient toujours, poussées par les indigènes.

Une clameur sauvage se fit entendre, une grêle de javelines siffla dans l'air et vint tomber sur les animaux stupéfaits, pendant qu'une quintuple détonation ébranlait les échos de la vallée et coïncidait avec la chute de cinq pièces de gibier.

— Ce n'est pas une chasse, fit Georges, c'est un massacre.

Les pauvres bêtes, épouvantées, se précipitèrent tumultueusement dans l'allée qui conduisait à la fosse, se pressant pour fuir au plus vite le danger ; le mâle restait le dernier cette fois, et secouait sa jolie tête en se retournant vers les indigènes d'un air de défi.

— Ils ont commis une faute, dit John : c'était le mâle qu'ils devaient abattre le premier, pour augmenter la débandade et la confusion. Toute

troupe privée de son chef perd la plus grande
partie de sa force.

Nos amis n'entendirent pas les derniers mots
de cette phrase, ils en furent détournés par les
hurlements de triomphe des indigènes à la vue
des premières antilopes précipitées dans la
fosse à travers la couverture perfide sur laquelle
elles s'étaient engagées.

Les javelines commencèrent à pleuvoir de
toutes parts, les corps tombaient et s'entassaient
sur les premiers tombés, le sang coulait sur
les robes fauves des pauvres bêtes transpercées
d'un bois meurtrier; en un clin d'œil la fosse
fut comblée, ce qui permit aux survivants de
passer sur les cadavres et de s'enfuir au plus
vite.

La fosse présentait un étrange aspect. Les
antilopes tombées les premières n'avaient eu
aucun mal et se débattaient énergiquement
contre l'asphyxie qu'allait leur apporter le poids
des corps amoncelés au-dessus d'elles, et dans
leurs mouvements violents décuplés par le désespoir, elles faisaient mouvoir cette masse de
chair inerte qui résistait à tous leurs efforts.

Un pied, une tête, émergeaient çà et là, cherchant à se dégager le corps sans pouvoir y parvenir.

Nos amis, pris de pitié, renoncèrent à décharger une seconde fois leurs carabines sur le reste de la troupe qui s'enfuyait, et qui, du reste, pouvait en quelques bonds se mettre hors de portée.

Les indigènes, enivrés par la vue du sang, frappaient sans relâche pour achever les blessés et les retirer ensuite.

La chasse était terminée, on vida la fosse et l'on y compta dix pièces de gibier. Depuis leur entrée dans les haies du hopo, les indigènes en avaient abattu six autres, ce qui, joint aux cinq pièces que nos amis avaient pour ainsi dire foudroyées à bout portant, formait le total de vingt et une pièces.

Les javelines avaient bien fait d'autres blessés qui n'étaient pas frappés assez cruellement pour les empêcher de fuir, le bois dans la plaie.

Kyboua voulait faire accepter à ses hôtes le gibier qu'ils avaient tué ; mais, après avoir pris l'avis général, John Branth lui répondit qu'il n'y avait aucun mérite à tuer lorsque l'on avait amené le gibier sous la carabine du chasseur, et qu'ils étaient contraints de refuser ; que, cependant, pour ne pas le désobliger, ils accepteraient une antilope, et le remerciaient du plaisir qu'il leur avait procuré.

Après avoir réuni leur gibier, les indigènes, suivis de Kyboua et de ses hôtes, reprirent la

route du village, où les femmes et les enfants
attendaient.

XIII. — Le Lion d'Afrique.

Là l'enthousiasme fut à son comble.

Les chants de victoire furent entonnés de part
et d'autre, et les réjouissances commencèrent
incontinent par l'absorption de quelques pots
de bière qui achevèrent de jeter le trouble dans
l'esprit déjà un peu confus des indigènes.

Le soir vint, les feux s'allumèrent par enchan-
tement, et une odeur de viande grillée se ré-
pandit dans toute la bourgade. Des quartiers
d'antilope étaient suspendus au devant des
brasiers qu'entretenaient activement les indigènes, pendant que des enfants noirs comme
de l'ébène, à la chevelure crépue, se roulaient
tout à l'entour avec des cris joyeux qui semblaient réclamer l'heure du repas.

Nos amis étaient assis et groupés en cercle
devant la hutte de Kyboua, qui leur avait offert
de partager l'allégresse générale en savourant
quelques morceaux choisis du gibier tué dans
la journée. En revanche, ils fournissaient le thé,
du rhum et l'eau-de-vie, qui ne devaient paraître qu'au dessert.

Le repas, assaisonné de bière et de vin de palmier, fut servi sur le sol, selon la coutume indigène, qui semble parfaitement ignorer l'usage des tables.

Soudain, tout en dégustant un verre de vieux rhum que lui avait servi Jérémias, Kyboua se prit à écouter les bruits d'alentour que les chants des indigènes empêchaient de parvenir exactement.

— Le lion !..... fit-il.

Et en même temps un rugissement dont la distance diminuait la sonorité, fut répété par les échos du village.

Nos amis eurent un petit tressaillement comme il est permis d'en ressentir lorsqu'on vous apprend que vous n'êtes pas éloigné de cet animal, et John Branth interrogea le chef.

Celui-ci raconta que depuis quelques semaines ils avaient assez fréquemment la visite d'un jeune lionceau tout frais échappé de la tutelle de sa mère, qui, paraît-il, n'avait pas négligé son éducation, car il ne se passait pas une semaine qu'une chèvre ou qu'un bœuf disparût du kraal pendant la nuit.

Les indigènes l'avaient rencontré une fois pour ainsi dire face à face dans un des petits sentiers de la forêt ; mais au lieu d'attaquer le dévastateur, ils s'étaient empressés de détaler au plus vite et de se dérober ainsi au sort de leurs moutons.

Suivant la coutume des chefs africains dont a si souvent parlé le célèbre tueur de lions, Jules Gérard, il termina ses doléances en leur demandant si, eux qui étaient bien armés, il ne leur serait pas agréable de tenter de débarrasser la tribu d'un visiteur si redoutable, et qu'ils auraient droit à toute sa reconnaissance.

Tout cela fut débité d'un ton parfaitement calme, comme s'il se fût agi d'une invitation à dîner, et le chef ne cessa pas de boire son rhum à petits coups, et de tirer de sa pipe d'énormes bouffées de fumée.

Nos amis s'entre-regardèrent avec un petit sourire peut-être un peu contraint et qui semblait donner à cet égard une opinion assez arrêtée.

John, voyant l'inquiétude générale, essaya de venir au secours et de défendre l'intérêt commun.

— Est-ce que les blancs mes frères auraient peur?..... demanda Kyboua en lisant l'incertitude sur le visage des convives.

— Les blancs n'ont jamais peur ! s'empressa de répondre assez dédaigneusement John, mais Kyboua ne doit pas ignorer qu'ils ne connaissent pas comme lui les sentiers de la forêt, et ne sauraient où trouver le lion.

— Je les guiderai, s'ils veulent y consentir, répondit aussitôt le chef.

John en voulant tout sauver avait tout perdu.

— Puisqu'il n'y a pas moyen de reculer, dit en anglais John, il faut s'y résoudre.

— C'est une nouveauté !..... fit flegmatiquement Wilson.

Georges, Maclean et Jérémias furent du même avis, mais l'on fut d'accord pour user de la plus extrême prudence.

— Mes frères acceptent-ils ?..... demanda Kyboua.

— Nous te suivrons, répondit John.

Le chef se leva aussitôt.

— Déjà !..... exclamèrent-ils.

— Il est l'heure ! répondit-il.

Et il se tenait debout devant eux, attendant qu'il leur fît plaisir de se préparer et de se mettre en marche. Cette promptitude les contraria bien un peu, mais le parti en fut vite pris, et dix minutes après, ils s'enfonçaient sous bois, précédés du chef, qui les guidait en avant.

La nuit était noire avec des pléïades d'étoiles dont la lune, qui ne faisait encore que montrer sa corne blanche derrière les montagnes, ne diminuait pas l'éclat ; à la chaleur du jour avait succédé une fraîcheur assez vive.

Ils arrivèrent ainsi jusqu'au hopo.

Kyboua leur fit traverser la base du triangle, et, les menant derrière la haie opposée, ils se glissèrent à travers les arbres jusqu'à une colline assez élevée qui se trouvait à leur droite.

— Nous allons nous promener ainsi toute la nuit, murmura Georges à l'oreille de Jérémias, sans.....

Un rugissement qui ébranla les échos d'alentour lui coupa la parole, et le fit tressaillir d'effroi.

Rien de plus terrible que le cri du lion.

— Le voici!..... fit Kyboua, en désignant la base de la colline et en faisant prudemment quelques pas en arrière comme pour se mettre à l'abri derrière les chasseurs.

Le lion avait senti l'homme. Il était là, à une cinquantaine de pas d'eux, humant l'air, se frappant les flancs de sa queue énorme, et fixant sur les importuns visiteurs des yeux qui ressemblaient à deux charbons ardents.

Les chasseurs jetèrent un regard autour d'eux pour chercher un refuge en cas de besoin. Des rochers escarpés, c'était tout.

Le lion semblait attendre, il restait à la même place en poussant parfois un rugissement que les échos de la vallée se renvoyaient entre eux.

Jérémias glissa une balle de plus dans le

canon de sa carabine, s'assura du bon état de son revolver, et s'adressant à ses compagnons :

— Puisqu'il ne veut pas venir à nous, allons à lui.

— Visez bien, fit John Branth, et tâchons de ne pas le manquer ; s'il revient sur nous, nous sommes perdus.

La noble bête ne reculait ni n'avançait ; il y avait du dédain dans cette attente.

Kyboua s'était prudemment retranché derrière les agresseurs.

Georges se déroba silencieusement et se glissa derrière les rochers.

Les carabines étaient épaulées, chacun visait au défaut de l'épaule, comme avait dit John Branth, les chiens allaient s'abattre et écraser les cartouches, quand soudain une raie de feu sillonna l'ombre, une détonation se fit entendre, le lion y répondit par un rugissement, fit deux ou trois bonds vers les agresseurs, puis retomba sur le sol, pendant que Georges, la carabine à la main, s'approchait déjà de ses mais en passant devant le corps de la bête.

— Imprudent !..... lui cria John, au large !..... passez au large !

L'Anglais avait raison. Le lion agonisant s'était relevé dans un suprême effort et avait

tenté de bondir encore pour saisir son meurtrier et le déchirer sous ses griffes.

Jérémias s'avança de quelques pas et le
frappa d'une seconde balle qui l'acheva.

Ils purent alors s'approcher et le considérer
à leur aise aux pâles clartés de la lune qui s'é-
levait lentement au-dessus de l'horizon et éclairait graduellement cette scène.

C'était étrange de voir ainsi ces hommes
armés, drapés dans leurs burnous, sortir de
l'ombre comme des fantômes et venir en pleine
lumière se grouper autour du cadavre du plus
noble des animaux.

Celui-ci devait avoir atteint depuis peu l'âge
adulte, malgré les assertions de Kyboua, qui
prétendait que ce n'était qu'un lionceau. Son
poil d'un jaune sombre reluisait comme s'il eût
été lissé avec soin par une main amie, ses
membres vigoureusement découplés contras-
taient cependant avec la tête énorme qui est
particulière à cette race. Une épaisse crinière
brune fortement plantée retombait de chaque
côté du cou et lui arrivait presque au jarret.
Ses griffes longues et aiguës à faire frémir,
étaient pour ainsi dire incrustées dans le sol,
que, dans la chute, elles avaient labouré comme
un ennemi imaginaire.

La balle de Georges avait pénétré à l'épaule

et avait sans doute été se loger dans la région du cœur; celle de Jérémias avait porté un peu au-dessous. Kyboua ne se lassait pas de crier victoire, et proposa par curiosité de pénétrer dans le gîte de la bête.

Situé à quelques mètres d'élévation sur la colline, il était formé d'une excavation profonde dont l'obscurité défendait de sonder la profondeur; aux alentours, rien que des roches qui semblaient se tenir par un miracle d'équilibre.

Il y régnait une atmosphère fétide qui faisait pâlir les torches de bois sec qu'ils avaient allumées, le sol était jonché de débris, d'ossements de toutes sortes, entre autres la carcasse encore sanglante d'une chèvre qu'il avait enlevée au kraal quelques jours avant.

Soudain, auprès d'eux, un froissement de branches se fit entendre dans le fourré, un animal de belle taille en sortit en faisant un rugissement moins fort, mais de même nature que ceux qui avaient frappé leurs oreilles une demi-heure auparavant.

Ils se rejetèrent précipitamment dans la grotte, mais pas assez vite cependant pour que Kyboua pût se soustraire à un terrible coup de patte qui lui laboura le bras. Dans le pêle-mêle, les torches s'étaient éteintes, il fallut recharger à tâtons les carabines, surveillés par les deux yeux flamboyants de la lionne — car c'en était une — qui, repliée sur elle-même avec une gracieuseté toute féline, s'apprêtait à s'élancer.

Ils allaient être mis en pièces sans pouvoir se défendre qu'à coups de crosse de leurs carabines.

La lionne s'appuya sur les pattes pour s'élancer.

La roche sur laquelle elle se tenait fut ébranlée par son élan, et, perdant l'équilibre, elle roula jusqu'au bas de la colline, entraînant la bête avec elle.

La masse de chair et la masse de pierre semblaient vouloir se détruire mutuellement.

— Vite, aux carabines, fit John.

Les rugissements continuaient au dehors, mais l'on percevait des cris de rage.

La lionne ne revenait pas à l'attaque, ils se décidèrent à sortir.

— Hourrah!..... cria Maclean, qui descendait le premier.

La victoire était assurée.

La roche en tombant avait renversé la lionne et lui écrasait l'arrière-train en la retenant prisonnière.

De là ses rugissements de rage et de douleur.

La bête avait la vie dure, il fallut plusieurs balles pour la tuer.

— Maintenant, comment la retirer de là? fit Wilson.

Kyboua promit d'envoyer le lendemain des indigènes pour soulever la roche et enlever le cadavre.

Ils eussent bien voulu transporter le lion au village, mais la bête était lourde, les chemins peu praticables, il fallut se résigner à attendre le jour.

La soirée avait été émouvante, ils avaient besoin de repos, et, contre l'usage des vainqueurs, ils ne couchèrent pas sur le champ de bataille.

Le lendemain, les deux lions furent transportés au village, au milieu des cris et des trépignements de joie des indigènes, qui ne pouvaient se rassasier d'insulter leurs ennemis hors d'état de se défendre.

Les deux peaux furent offertes à Georges, qui se promit de les utiliser.

Ils restèrent encore quelques jours au village de Kyboua, qui ne pouvait se décider à les laiser partir, mais Maclean avait hâte de revoir la *Sarah*; il fut convenu que l'on se mettrait en marche sans tarder et que l'on irait au plus court.

Kyboua ne pouvant rien leur faire accepter, les combla de remercîments, et leur donna une escorte d'indigènes pour les accompagner.

Maclean proposa à John Branth de revenir avec eux au cap de Bonne-Espérance, au lieu d'attendre un navire à Quilimané. Ce dernier accepta d'autant plus volontiers que le brave capitaine ne ménagea pas les éloges à sa chère goëlette.

. . . .

. . . .

. . . .

La Sarah filait ses sept à huit nœuds à l'heure, solidement appuyée par une bonne brise qui gonflait sa toile et faisait craquer sa mâture; son avant effilé entrait dans la lame, qu'il coupait en faisant jaillir des flots d'écume qui semblaient monter à l'assaut le long de ses flancs. Maclean était là à son poste. Ils avaient huit jours de mer, et le matin même ils avaient passé en vue de Port-Natal; sa bonne figure rayonnait de se trouver enfin sur ces planches de chêne que pour lui la terre ne pouvait jamais valoir.

Tous nos amis étaient là, causant comme de vieux trappeurs et se rappelant les derniers souvenirs de leur vie aventureuse.

— Navire à tribord!..... cria le gabier de hune.

— Un beau brick!..... fit Maclean en connaisseur.

C'est toujours un événement en mer que de rencontrer un autre navire. Maclean laissa arriver sur tribord de façon à passer à peu de distance.

Le brick en fit autant; ils couraient droit à la rencontre l'un de l'autre.

— Qu'a-t-il donc, fit tout-à-coup Maclean, il hisse des pavillons de signaux.

A l'aide de la longue-vue, on put en effet s'assurer que le brick signalait de mettre en panne.

Maclean fit serrer la toile, et presque aussitôt un canot se détacha de l'autre bord et se dirigea vers *la Sarah*.

Quand il rangea le long de la goëlette, nos amis y reconnurent Alonzo Garcias, celui que le ciel leur avait permis de si miraculeusement sauver.

Il monta à bord, se jeta dans leurs bras, et les embrassa avec effusion.

— Je vous demande pardon de vous avoir fait mettre en panne, dit-il, mais j'avais reconnu votre belle *Sarah*.

Je n'ai point oublié ceux à qui je dois la vie

et j'ai voulu encore une fois vous embrasser et vous remercier. Je suis heureux maintenant !... Grâce à l'appui des consuls portugais et espagnols, j'ai retrouvé ma sœur, et j'ai pu l'arracher au sort infâme qui lui était réservé. Elle est avec moi à bord du brick.

Ah ! qu'elle vous a de gratitude, elle aussi !

— Tenez, ajouta-t-il en se tournant vers son navire.

En effet, on apercevait à l'arrière du navire une jeune fille, blanche apparition qui agitait un mouchoir en signe de reconnaissance et de souvenir.

— Où allez-vous donc ?..... demanda Jérémias.

— A Port-Natal, où j'ai quelques intérêts à régler, et de là je m'embarque pour Lisbonne avec mon cher trésor.

Il désignait la jeune fille.

— Allons, fit-il, je ne veux plus vous retarder. Adieu, mes amis ! mes sauveurs !

— Adieu, bon courage ! et bonheur !..... répondirent-ils.

Ils s'embrassèrent une dernière fois ; Alonzo regagna son canot, Maclean fit larguer sa toile, et les deux bricks s'éloignèrent.

Wilson, accoudé aux bastingages, regardait rêveur le brick qui s'enfuyait au loin comme une mouette déployant ses ailes blanches.

Jérémias vint doucement lui frapper sur l'épaule.

— Eh bien ! ami, fit-il, à quoi songes-tu ?.....

— Ah ! répondit Wilson.

Puis il ajouta avec un soupir d'amertume :

— Comment arrive-t-on au bonheur ?

— En sachant vivre ! répondit le docteur.

Wilson ne répondit pas..... et la goëlette continua sa route, labourant la mer sans y laisser plus de traces de son passage que ceux qui l'avaient sillonnée avant elle.

NOTICE

SUR

LE CAP DE BONNE-ESPÉRANCE

La colonie du cap de Bonne-Espérance, située
à la pointe méridionale de l'Afrique, s'étend
entre les 29° 50' et 35° de latitude nord, et les
15° et 26° de latitude est. Elle est bordée au
nord par la Hottentotie indépendante, au sud
par l'océan Méridional, à l'est par la Cafrerie, à
l'ouest par l'océan Atlantique.

Cette contrée, à laquelle le développement
du commerce a donné tant d'importance depuis
le seizième siècle, était-elle connue des an-
ciens? Il résulterait de quelques fragments de
Possidonius et de Cornelius Nepos, que la cir-
cumnavigation de l'Afrique avait été accomplie
par les Tyriens, par le Carthaginois Hannon et

par Eudoxe de Cyzique; toutefois leurs expé-
ditions, si elles réussirent, ne furent pas ac-
complies dans des conditions assez favorables
pour qu'ils trouvassent des imitateurs. Quelques érudits surent peut-être qu'il était possible de doubler la pointe de l'Afrique australe;
mais le succès d'une pareille entreprise était
purement accidentel. Une découverte n'est
réelle que lorsqu'elle accroît efficacement le
domaine et la puissance de l'homme. Des Asia-
tiques, voguant au hasard ou poussés par les
vents, ont pu traverser la mer Pacifique et venir peupler quelques parties du continent amé-
ricain; mais ils n'avaient aucun moyen de regagner leur patrie, et si quelques-uns parvin-
rent à en retrouver la route, ils perdirent celle
des régions inconnues dont le hasard leur avait
révélé l'existence. C'est donc à tort qu'on dis-
pute à Christophe Colomb le mérite et l'honneur d'avoir frayé le chemin du Nouveau-
Monde.

Le grand cap africain ne fut reconnu d'une
manière utile et pratique qu'en 1486. Au mois
d'août de cette année, Jean II, roi de Portugal,
fit fréter deux navires de cinquante tonneaux
chacun et un aviso pour explorer la côte d'A-
frique. Le commandement de l'expédition fut
confié à Barthélemy Diaz, qui, battu par des

vents furieux, doubla le Cap sans s'en douter, et poursuivit sa route jusqu'aux îles de la Croix, situées dans la baie de Lagoa. A son retour, au milieu d'une effroyable tempête, il détermina la position de la baie et des montagnes du Cap.

Emmanuel, successeur de Jean II, mit trois vaisseaux et cent soixante hommes d'équipage à la disposition de Vasco de Gama, qui, en 1497, doubla le Cap pour se rendre aux Indes; mais ni lui ni Diaz ne descendirent sur le sol africain. Ce fut un autre navigateur portugais qui aborda le premier au Cap, en 1498. Il s'appelait João de Infante, et nous ne savons pourquoi d'anciennes relations lui ont donné le nom de Rio del Elephanter, qui est celui d'une rivière. D'après les renseignements qu'il recueillit, l'occupation de la côte africaine fut décidée à Lisbonne, mais elle ne se réalisa pas. Les hommes chargés de fonder l'établissement furent effrayés ds l'aspect farouche et des mœurs barbares des aborigènes. C'étaient les Gaiquas, que les Hollandais nommèrent plus tard Hottentots, en les entendant chanter une chanson dont le refrain était *Hottentottum brokana.* Ils se divisaient en tribus, dont les principales, suivant les vieilles cartes, étaient les Garinhaiquas, les Sussaquas, les Nessaquas, les Obiquas, les Sonquas, les Khirigriquas, les Houteniquas, les Attaquas, etc.

Ces sauvages avaient le teint basané, les pommettes saillantes, le nez fortement épaté, les narines d'une largeur énorme, la chevelure laineuse. Ils ne savaient point cultiver la terre, mais ils élevaient des troupeaux et chassaient les animaux, qu'ils tuaient avec des flèches empoisonnées, et dont ils enlevaient la partie blessée avant de les manger. Leurs huttes, de forme ovale, étaient faites avec des pieux recourbés qu'ils couvraient de nattes ou de peaux. Il leur était impossible de s'y tenir debout, et ils vivaient accroupis ou couchés.

Chaque tribu se divisait en kraals, en villages, dont les principaux fonctionnaires étaient le konquer ou chef militaire, le juge, le médecin ou sorcier, et le prêtre.

La saleté des Hottentots, leur langage rauque et inarticulé, leurs physionomies stupides, leurs longues zagaies, les firent prendre par les Portugais pour des anthropophages. Après avoir abattu sur le continent quelques pièces de gibier, les colons envoyés par le roi Emmanuel se retirèrent dans une île de la baie, et se rembarquèrent dès que le temps fut favorable.

Une douloureuse catastrophe acheva de faire

abandonner au Portugal ses projets de colonisation. François d'Almeyda, vice-roi des Indes, relâcha au Cap en 1509 ; des matelots qu'il envoya à terre pour se procurer des vivres au moyen d'échanges furent repoussés ; il voulut les venger et fut tué avec soixante-quinze des siens. Deux ans plus tard, un détachement portugais descendit sur la même plage avec une pièce de canon chargée à mitraille, et décima les indigènes qui étaient accourus en foule à la rencontre des étrangers.

A l'époque de la révolution française, la colonie du Cap était assez puissante pour songer à s'affranchir de la métropole. Elle travaillait à se constituer en république indépendante, lorsqu'en 1795 une flotte anglaise parut dans la baie False. Un détachement du 78e régiment et un corps de marins débarquèrent sous les ordres du général Graig, s'emparèrent de plusieurs points fortifiés, et s'y maintinrent jusqu'à l'arrivée d'un corps d'armée considérable, amené par sir Alured-Clarke. Les colons capitulèrent, et les Anglais occupèrent sans coup férir Kaapstad, qui devint Cap-Town. Pour se concilier les vaincus, ils s'attachèrent à leur assurer les bienfaits d'une bonne administration ; et quand, en vertu du traité d'Amiens, la colonie fut rendue aux descendants de ceux qui l'avaient fondée, le trésor public avait un excédant de recettes d'environ trois cent mille rycksdales.

Des forces navales, commandées par sir David Baird et sir Howe Popham, reconquirent Cap-Town en 1804.

En 1806, le vaisseau le *Marengo* et la frégate la *Belle-Poule*, sous les ordres du contre-amiral Linois, croisèrent vainement dans les parages du Cap en cherchant l'occasion d'en chasser les Anglais. L'occasion ne se présenta pas, et, sacrifiant le plus faible au plus fort, les puissances signataires des traités de 1815 n'hésitèrent pas à dépouiller la Hollande au profit de la Grande-Bretagne. Les *boors* ou cultivateurs hollandais opposèrent une héroïque mais stérile résistance à la domination qu'on leur infligeait.

La colonie du Cap comprend actuellement environ 14,800 lieues carrées géographiques. Elle se compose des districts du Cap, de Graaf-Reinet, d'Albany, de Sommerset, de Woicester, de Zwellendam, de Georges, de Beaufort, de Stellenbosh, de Clanwilliam, et d'Uitenhagen. La population est évaluée à plus de deux cent mille âmes, dont cent mille blancs, soixante mille noirs ou mulâtres affranchis, trente mille Hottentots et dix mille Malais.

Cap-Town, capitale de la colonie, compte environ cinquante mille habitants. Toutes les principales puissances de l'Europe y ont des consuls, et la ville est dotée de toutes les institutions des grandes cités européennes. On y a créé, en 1829, un collége où l'on enseigne le latin, le grec, l'anglais, l'allemand, le français, les mathématiques, l'astronomie, le dessin, etc. Cap-Town possède encore plusieurs églises protestantes, une cathédrale catholique, un temple de francs-maçons hollandais, une riche bibliothèque, un observatoire, un jardin botanique. La société littéraire et scientifique de l'Afrique méridionale a fondé à Cap-Town un muséum d'histoire naturelle qu'enrichissent sans cesse d'infatigables travaux. Le mouvement intellectuel de la colonie est attesté par de nombreuses associations bibliques, médicales, agricoles, philanthropiques, et par la publication de plusieurs journaux politiques, scientifiques ou littéraires.

Une bourse, une chambre de commerce, la banque du cap de Bonne-Espérance, la banque de l'Afrique méridionale, les banques coloniales de l'Union, de l'Espagne, témoignent de l'activité commerciale de ce riche pays. Des laines brutes, de l'ivoire, des plumes d'autruche, des cuirs, des peaux de léopard et de lion, du guano, de l'aloès, des vins blancs, dits madère du Cap, sont ses principaux objets d'exportation.

La ville est régulière, bien bâtie et éclairée au gaz. La baie du Cap *(Table-Bay)*, fermée d'un côté par une chaîne de montagnes et de l'autre par une langue de terre, semble devoir être un asile sûr; mais d'impétueuses rafales y harcellent les vaisseaux et les poussent parfois à la côte. En définitive, le roi Jean II a imposé au Cap une qualification moins convenable que celle que Barthélemy Diaz avait adoptée.

Les autres villes remarquables de la colonie sont Graham's-Town, chef-lieu du district d'Albany; Constance, dont les vins sont célèbres; Simon's-Town, sur la baie False, station navale commandée par un commodore, et où les navires trouvent pendant l'hiver un abri contre les vents du nord-ouest.

Le chef-lieu du district de Graaf-Reinet est situé à cinq cents milles (640 kilomètres) du Cap, sur les bords de la rivière Sondag. Barrow, secrétaire particulier de lord Macartney, gouverneur du Cap en 1797, a laissé la plus triste description de cette localité, où il se rendit pour réinstaller le landdrost, que les boors avaient chassé.

Les progrès considérables accomplis depuis

1797 jusqu'en 1856 ont complètement trans-
formé Graaf-Reinet. C'est maintenant une jolie
ville, dont les maisons ne manquent pas d'élégance, et dont les environs sont couverts de
riches établissements agricoles.

Graaf-Reinet, comme tous les autres districts,
est en rapport journalier avec Cap-Town. Les
journaux et les correspondances circulent rapidement dans toute la colonie. La poste est
desservie par les boors établis près des grandes
routes, à l'aide de leurs domestiques hottentots, et moyennant une indemnité proportionnelle à la distance parcourue.

Le sol de la colonie du Cap est très-acci-
denté ; elle est coupée par plusieurs chaînes de
montagnes élevées qui s'étendent de l'est à
l'ouest, à l'exception d'une seule qui se dirige
au nord, en suivant la côte occidentale.

La première grande chaîne de l'est à l'ouest
est bordée d'une plaine longue de dix à trente
milles, dentelée par plusieurs baies et arrosée
par un grand nombre de ruisseaux. La terre en
est riche, et le climat égal et doux à cause de
la proximité de l'Océan.

La deuxième chaîne est celle des Zwaarte-
Bergen ou montagnes noires, plus élevée et
plus âpre que la chaîne précédente, dont elle
est séparée par un espace de dix à vingt milles.

Cet espace contient certaines parties fertiles et
bien arrosées ; mais elle offre en général des
collines stériles et des plaines argileuses que
les colons appellent *karoos*.

La troisième chaîne est celle des Sniewveld's-
Bergen (monts des champs de neige). Entre ces
montagnes et la deuxième chaîne est le grand
Karoo ou désert, haute terrasse large de quatre-vingts milles et longue d'environ trois cents
milles de l'est à l'ouest. Elle est élevée de mille
pieds au-dessus du niveau de la mer.

La surface du grand Karoo présente des as-
pects très-divers. Dans beaucoup d'endroits,
c'est une argile de couleur brune ; dans d'autres, un lit de sable traversé de veines de quartz
et d'une sorte de pierre ferrugineuse ; ailleurs,
c'est un sable lourd, où l'on trouve çà et là de
la marne noirâtre. Auprès du lit de la rivière
Buffalo, tout le pays est parsemé de petits fragments d'ardoise pourpre, détachés d'une longue
couche de bancs parallèles. Parmi ces fragments, on trouve des pierres noires qui ont
toute l'apparence de laves volcaniques ou de
scories de fournaise ; la plaine est hérissée des
monticules, tantôt coniques, tantôt tronqués
au sommet ; et quoiqu'ils semblent d'abord
avoir été jetés là par des éruptions volcaniques,
en examinant avec attention les couches alter-

natives de sable et de terre régulièrement disposées, on reconnaît le produit des eaux. Quelques marais sablonneux du Karoo sont couverts
de roseaux et abondent en sources fortement
salées.

Le long de cette côte occidentale, le pays
s'échelonne en terrasses successives, le Roggeveld se rattache à la chaîne des Sniewveld's-
Bergen. La chaîne de Roggeveld commence
presque au 30° degré de latitude sud, et s'étend
pendant l'espace de deux degrés et demi ; ensuite elle s'abaisse vers l'est, puis vers le nord-
est, jusqu'à ce qu'elle atteigne la baie de Lagoa. C'est ce qui forme la limite septentrionale
du grand Karoo.

La belle colonie du Cap est l'objet de la sol-
licitude du gouvernement britannique ; il y est
représenté par un gouverneur, qui reçoit un
traitement annuel de six mille livres sterling.
(150,000 fr.) Auprès de lui sont deux conseils.

Le conseil législatif, dont les membres nom-
més par la métropole deviennent inamovibles
au bout de deux ans ;

Le conseil exécutif, où siégent le comman-
dant militaire, le grand juge, le trésorier général et le secrétaire du gouvernement.

Le gouvernement britannique n'a pas seulement souci des intérêts de ses sujets d'origine

européenne ; il a fait de louables efforts pour
améliorer la condition des Hottentots, que les
Hollandais avaient réduits à l'esclavage en les
soumettant à un système de contrats forcés. La
race indigène est sortie insensiblement de son
état d'abjection, et a montré des dispositions
qu'on ne lui avait pas supposées.

Des essais de civilisation ont été tentés sur
les Cafres, terribles voisins dont les incursions
désolent la colonie ; on leur a envoyé des missionnaires, on a opéré quelques conversions,
mais l'influence de quelques chefs devenus
chrétiens n'a pas empêché cette belliqueuse
nation de franchir les frontières par bandes
nombreuses, et de faire aux colons une guerre
acharnée. On remarque cependant qu'au lieu de
massacrer, comme par le passé, tous ceux qu'ils
attaquaient, sans distinction d'âge ni de sexe,
il leur arrive parfois de rendre des femmes et
des enfants tombés entre leurs mains.

FIN.

TABLE.

—

FIN DE LA TABLE.

Limoges. — Imp. E. ARDANT et C°.

www.ingramcontent.com/pod-product-compliance
Lightning Source LLC
Chambersburg PA
CBHW070904030726
47504CB00005B/1449